세종 한국어

3A

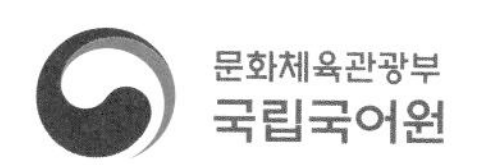

발간사

최근 전 세계인이 접하는 한류 콘텐츠의 규모가 늘어나면서 한류 문화가 확산되고 있고, 그 결과로 한국어를 배우고자 하는 외국인 학습자의 기세가 매우 놀랍습니다. 세계 곳곳이 코로나19로 침체기를 겪던 2021년에도 한국어능력시험 응시자는 30만 명을 훌쩍 넘었으며, 문화체육관광부의 세종학당은 2007년 13곳에서 2022년에는 84개국 244개소로 증가하였습니다. 이러한 한류의 지속적인 확산을 뒷받침하기 위해서는 한국어교육의 탄탄한 지원이 필요합니다.

한류 콘텐츠와 함께 성장하는 한국어교육의 토대를 다지기 위해, 문화체육관광부와 국립국어원은 2011년 처음 발간된 《세종한국어》를 새로 다듬기로 하였습니다. 2019년부터 기초 연구를 시작한 교재 개정 작업은 3년의 시간을 들여, 2022년 드디어 새로운 《세종한국어》를 펴내게 되었고, 이를 세종학당재단과 함께 알리게 되었습니다.

새롭게 개정된 《세종한국어》는 첫째, 세종학당 곳곳에서 한국어를 배우고자 하는 열의로 가득 찬 외국인 학습자 중심의 교재를 지향하였습니다. 둘째, 현지 세종학당의 학습 환경에 따라 유연하게 활용할 수 있는 맞춤형 교재로 정비되었습니다. 셋째, 한류 콘텐츠에 대한 외국인들의 관심을 내용에 반영함으로써, 한국어 공부에 대한 학습자의 부담을 낮췄습니다. 마지막으로 세종학당을 대표하는 표준 교재로서 구심점 역할을 담당하고, 이후의 한국어 학습을 위한 연계성도 잘 갖추었습니다.

세종학당은 한국어와 한국 문화로 한국과 세계를 연결하는 대한민국 대표의 국외 한국어교육 기관입니다. 국립국어원과 문화체육관광부는 앞으로도 세종학당재단과 협력하여 전 세계에서 한국어를 사랑하는 이들이 꿈을 이룰 수 있도록 지속적인 노력과 지원을 아끼지 않겠습니다.

끝으로 교재 개발을 위해 최선의 노력을 기울여 주신 연구·집필진과 출판사 관계자분들께 진심으로 감사의 말씀을 드립니다. 《세종한국어》의 새로운 출발과 함께 문화체육관광부와 국립국어원, 세종학당재단이 세계로 더 나아갈 수 있도록 여러분의 따뜻한 관심 부탁드립니다.

2022년 8월

국립국어원장 장소원

머리말

세종학당은 한국과 전 세계를 연결하는 한국어·한국 문화 보급 기관입니다. 이번에 개발한 교재는 상호 문화주의에 기반하여 한국어 학습에 대한 학습자의 흥미를 증진함으로써 한국어 의사소통 능력을 향상시키는 것을 목표로 하였습니다. 이를 위해 최근 한국의 상황을 적극적으로 반영하였고 최신 교수법을 구현할 수 있는 새로운 구성과 디자인을 적용하였습니다. 이를 통해 국외 한국어교육의 방향성을 새롭게 제시하고자 하였습니다. 개정 《세종한국어》의 구체적 특징은 다음과 같습니다.

첫째, 세종학당의 표준 교육과정인 가형, 나형, 다형 전 과정에 탄력적으로 활용할 수 있도록 '기본 교재'와 '더하기 활동 교재'로 구분하였습니다. '기본 교재'에는 해당 등급에 필요한 핵심적인 내용을 담았으며, '더하기 활동 교재'에는 심화·확장이 필요한 언어 지식과 의사소통 활동을 담았습니다. 이를 통해 다양한 학습자 특성에 맞게 교재를 선택하여 사용할 수 있도록 하였습니다.

둘째, 효과적 교수·학습을 위해 단계별로 단원 구성을 차별화하였으며 학습 내용 또한 언어 발달 단계에 맞는 교수 학습 내용과 절차를 적용하였습니다. 특히 다양한 삽화와 시각적 자료를 적극적으로 제시하여 한국어 학습의 흥미를 극대화할 수 있도록 노력하였습니다.

셋째, 교재 전반에 생생한 한국 문화 내용을 배치하여 학습자들이 상호 문화적 관점에서 한국 문화를 이해하고, 궁극적으로는 자국의 문화와 한국 문화에 대한 바른 태도를 형성할 수 있도록 하였습니다.

넷째, 교재와 함께 '익힘책', '교사용 지도서', '어휘·표현과 문법', 수업용 PPT와 같은 보조 자료들을 개발하여 교사·학습자의 요구에 맞게 교재를 활용할 수 있도록 하였습니다.

이 교재를 기획하고 개발하는 모든 과정에 함께해 주신 국립국어원과 현지 학당과의 협조와 지원을 아끼지 않으신 세종학당재단, 그리고 학습자들이 재미있게 한국어를 배울 수 있도록 멋지게 디자인해 주신 공앤박출판사에 감사의 마음을 전하고 싶습니다. 끝으로 3년이라는 긴 시간 동안 오로지 한국어교육에 대한 열정으로 좋은 교재를 만들어 내기 위해 애써 주신 모든 집필진께 말로는 다할 수 없는 깊은 감사의 마음을 전합니다.

2022년 8월

저자 대표 이정희

차례

단원	주제	단원명	기능
1	안부와 소식	그동안 어떻게 지냈니?	묻고 답하기
2		요즘 좀 바쁘다고 해	묻고 답하기
3	집과 집안일	이번에 이사를 할까 해요	설명하기
4		나는 거실 청소를 할 테니까 넌 주방 청소를 해 줘	제안하기
5	물건 교환과 수리	환불하려면 영수증이 필요합니다	요청하기
6		새로 사려다가 수리해서 쓰고 있어요	설명하기
7	기념일	여자 친구하고 만난 지 곧 3년이 돼	설명하기
8		한글날을 기념하기 위해서 여러 가지 행사를 한다고 해	설명하기
9	감정과 건강	비가 오면 오히려 기분이 좋아지는데요	표현하기
10		오늘은 일찍 들어가도록 하세요	설명하기, 조언하기
11	즐거운 여가 생활	주말에는 집에서 쉬는 게 좋더라고요	표현하기
12		이 영화를 꼭 보라고 추천하고 싶다	서술하기, 표현하기

어휘와 표현	문법		발음	활동
안부 인사	-니?, -자	-아/어 보이다		안부 인사 말하기 방학에 하고 싶은 일 쓰기
근황과 소식	-는다고/ㄴ다고/다고 하다	-나/(으)ㄴ가 보다	격음화	친구의 소식 전달하기 친구에게 메일 쓰기
이사	-(으)ㄹ까 하다	-지만 않으면		살고 싶은 집 말하기 살고 있는 집을 광고하는 글 쓰기
집안일	-고 나서	-(으)ㄹ 테니까	경음화	룸메이트와 집안일 계획하기 가족이 나눠서 하는 집안일 쓰기
교환과 환불	-아/어 보니까	-(으)려면		교환이나 환불한 경험 말하기 게시판에 교환이나 환불을 요청하는 글 쓰기
고장과 수리	-잖아요	-(으)려다가	현실 발음 (외래어)	고장 난 물건 설명하기 문제가 있는 가전제품에 대해 문의하는 글 쓰기
기념일, 기념일에 하는 일	-(으)ㄴ 지	-자고 하다		특별한 날의 경험 말하기 기념일 만들기
국경일/기념일 행사	-기 위해서	-아야겠다/어야겠다	비음화	특별한 대회나 행사에 참가한 경험 말하기 후기 읽고 댓글 쓰기
날씨와 감정	-아지다/어지다	-는/(으)ㄴ 대신에		날씨에 따른 감정 변화 말하기 우울할 때 하는 일 쓰기
증상 및 치료	-도록 하다	-아야/어야	모음 ㅢ	건강에 좋은 생활 습관 조언하기 건강 비법 쓰기
여가 활동의 장점	-다 보면	-더라고요		주로 하는 여가 활동 말하기 일일 수업 만들기
대중문화와 감상	-는다/ㄴ다/다	-(으)라고 하다	모음 ㅚ	관심 있는 공연에 대해 말하기 영화나 드라마 추천하는 글 쓰기

단원의 구성

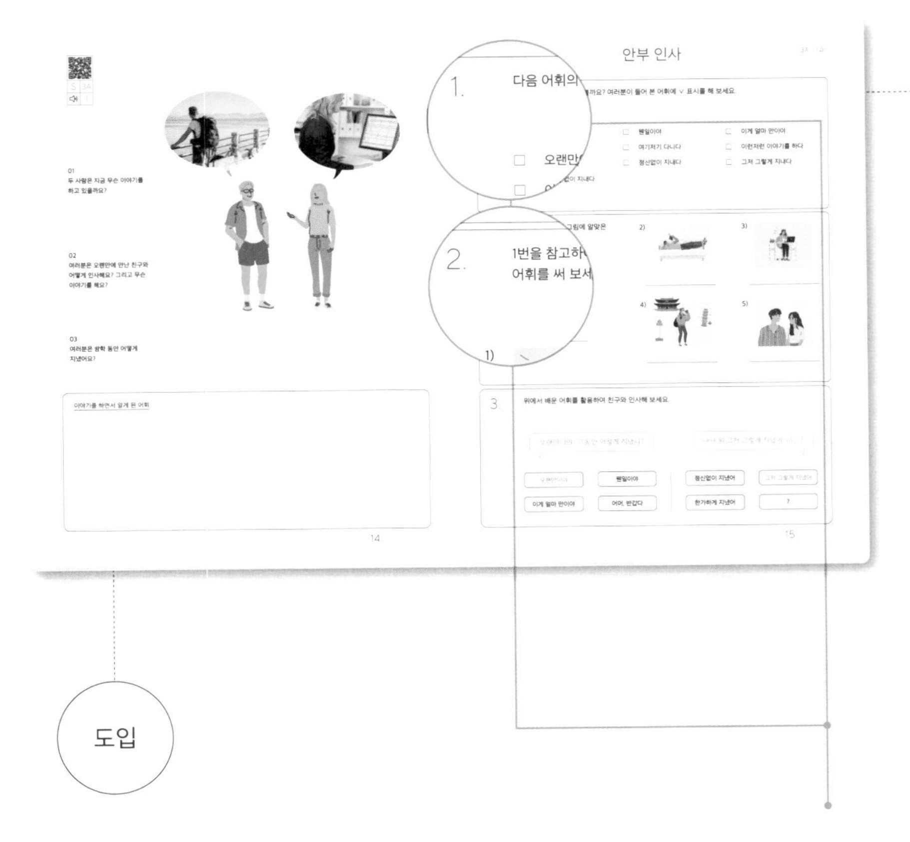

어휘와 표현

'어휘와 표현'은 해당 단원의 주제와 관련된 대표적인 어휘를 선정하되 덩어리 표현도 함께 제시하여 언어 사용에 초점을 두었다. '어휘와 표현'은 제시, 기계적 연습, 유의적 연습으로 구성하였다. 의미를 이해하는 활동에서 표현하는 활동으로 확장하여 학습자들이 배운 어휘와 표현을 맥락에 맞게 사용할 수 있도록 하였다. 단원에 따라서는 어휘장이 한 개인 경우도 있고 두 개인 경우도 있다.

'도입'은 해당 단원의 주제나 문화 지식과 관련이 있는 장면을 제시하여 해당 단원에서 배울 내용에 대한 배경지식을 활성화하고 주제에 친숙해지도록 구성하였다.

1번은 삽화나 단순한 정보를 통해 어휘의 기본적인 의미를 익히도록 하였다. 2번은 학습한 어휘를 활용하여 간단하게 구어 표현을 할 수 있도록 함으로써 학습한 내용을 내재화할 수 있도록 구성하였다.

문법 1 문법 2

'문법 1, 2'는 해당 단원에서 꼭 배워야 하는 필수 문법 항목을 선정하였다. 해당 문법 항목의 의미와 사용에 대한 특성을 해당 문법 옆에 기술하였다. 또한 문법 예문과 함께 있는 삽화는 수업에서 교사가 문법 항목 도입을 하거나 의미를 설명할 때 활용할 수 있도록 구성하였다.

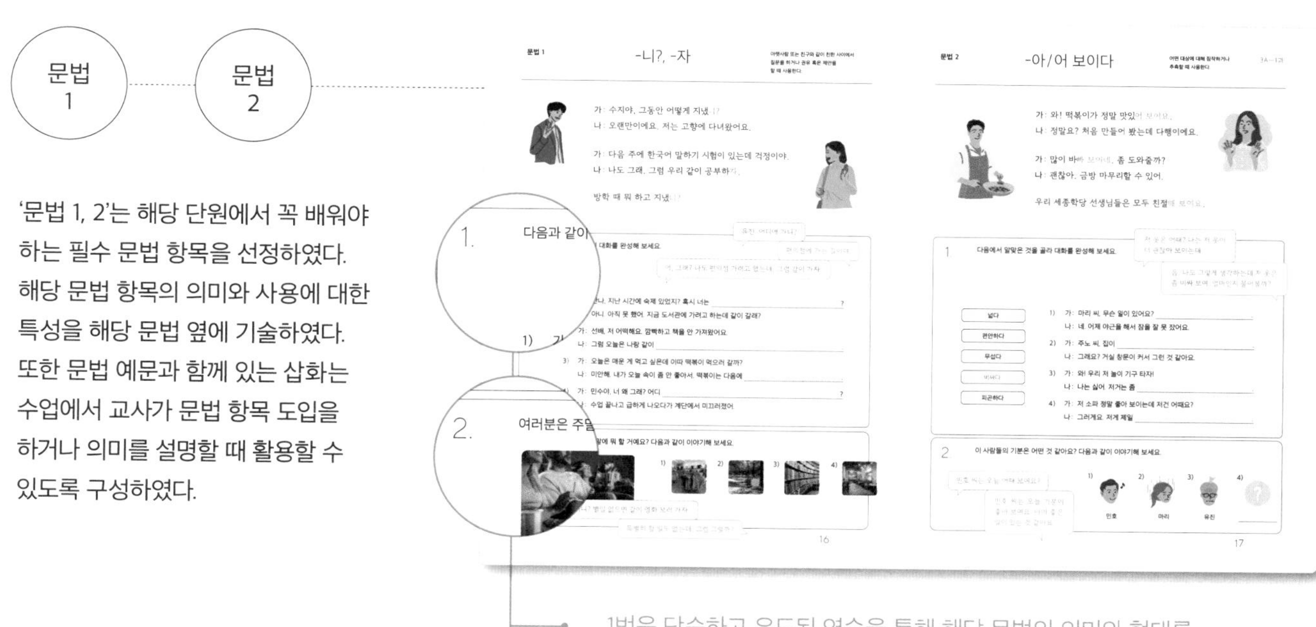

1번은 단순하고 유도된 연습을 통해 해당 문법의 의미와 형태를 익히도록 하였다.

2번은 학습한 문법을 활용하여 유의적 발화를 할 수 있게 함으로써 유창성을 함양할 수 있도록 하였다.

활동 1

'활동 1'은 '대화문, 듣기, 말하기'에 초점을 두어 고안하였다. 이때 짝수 단원에서는 '발음'을 제공하고 있으며, '발음'은 대화문에서 제시된 표현 중 학습자의 발화 유창성을 향상시킬 수 있는 항목으로 선정하였다. 발음 항목과 실제 발음, 발음의 원리를 제시하였으며 연습할 수 있는 예문도 제시하였다.

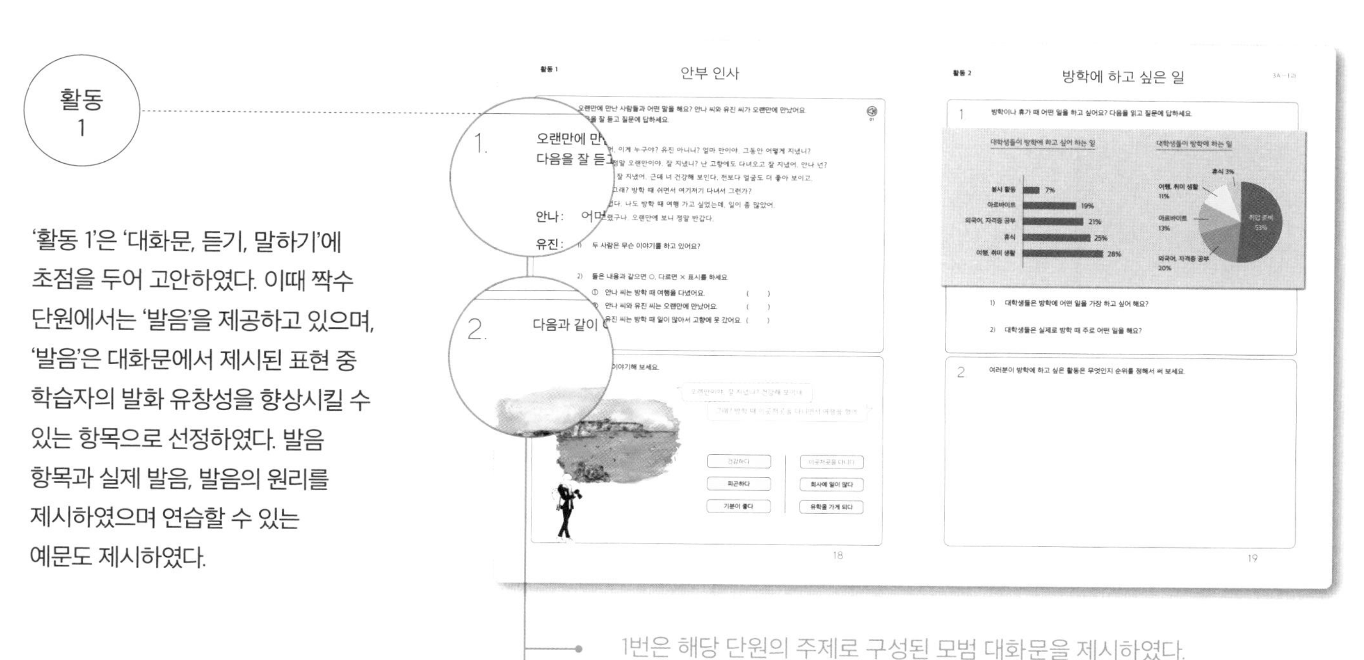

1번은 해당 단원의 주제로 구성된 모범 대화문을 제시하였다. 모범 대화문의 상단에는 어떤 상황에서 대화가 진행되는지를 알 수 있는 지시문이 있다. 모범 대화문의 하단에는 대화문을 듣고 풀 수 있는 간단한 확인 질문이 있다.

2번은 모범 대화문에서 다루는 가장 핵심적인 기능과 표현을 활용하여 말하기를 할 수 있도록 하였으며, 학습자의 적극적인 활동 참여를 위해 최소한의 정보를 제시하였다. 또한 단원에 따라 학습자가 자신의 정보를 활용하여 대화를 만들어 볼 수 있게 함으로써 보다 유의적인 발화가 가능하도록 하였다.

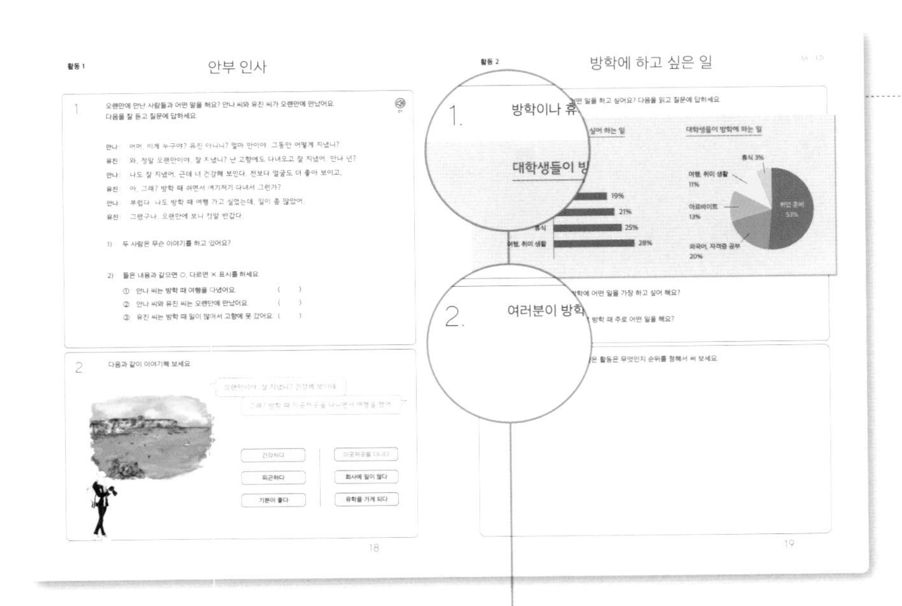

활동 2

'활동 2'는 '읽기, 쓰기'에 초점을 두었다.

1번은 다양한 자료를 읽고 내용을 파악할 수 있도록 하였다. 지시문은 해당 주제와 관련된 도입 질문으로 활용할 수 있으며, 읽기 지문 하단에는 읽은 내용에 대한 이해를 확인할 수 있는 질문을 두었다.

2번은 읽은 내용을 바탕으로 자신의 생각을 쓸 수 있도록 하였다. 1번에서 제시된 읽기 지문은 쓰기 활동의 배경지식으로 활용할 수 있도록 고안하였다.

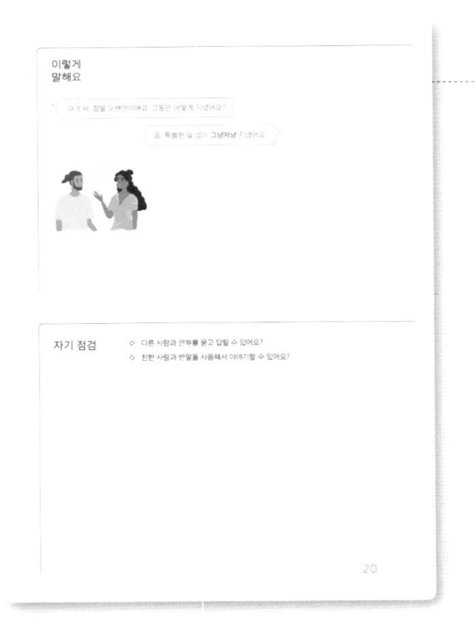

이렇게 말해요 — 자기 점검

'이렇게 말해요'는 현대 한국 사회에서 사용되고 있는 다양한 구어 표현을 제시하여 실생활 표현력을 높이도록 하였다.

'자기 점검'은 해당 단원에서 배운 주제와 기능에 대한 질문을 제시하여 학습자가 성취한 수준을 확인하고 점검하도록 하였다.

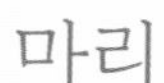

회사원.
재민의 회사 동료임.
등산과 케이팝을 좋아함.

수지

대학생.
외국에서 유학 중임.
취미는 사진 촬영임.

안나

대학생.
한국 드라마와 케이팝을
좋아함. 활발하고 적극적인
성격임.

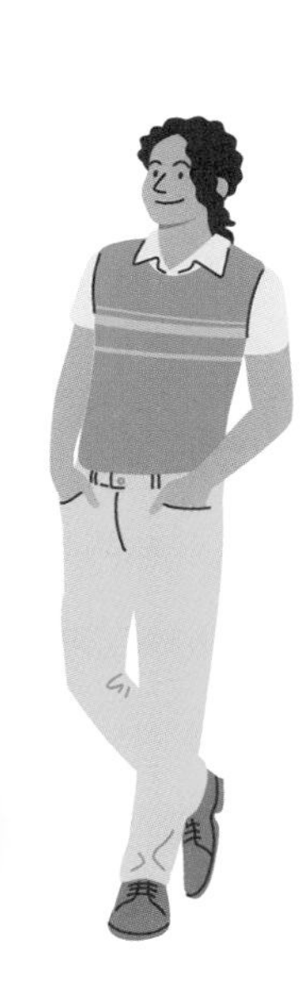

주노

회사원.
한국에서 유학을 했음.
독서와 여행을 즐김.

유진

대학생.
영화 감상과 테니스 등
다양한 활동을 즐김.

재민

회사원.
주재원으로 국외 근무 중임.
산책과 캠핑을 즐김.

1

그동안 어떻게 지냈니?

다른 사람과 안부를 묻고 답할 수 있어요.

01
두 사람은 지금 무슨 이야기를 하고 있을까요?

02
여러분은 오랜만에 만난 친구와 어떻게 인사해요? 그리고 무슨 이야기를 해요?

03
여러분은 방학 동안 어떻게 지냈어요?

이야기를 하면서 알게 된 어휘

안부 인사

1.

다음 어휘의 뜻을 알아볼까요? 여러분이 들어 본 어휘에 ∨ 표시를 해 보세요.

- ☐ 오랜만이야
- ☐ 웬일이야
- ☐ 이게 얼마 만이야
- ☐ 이곳저곳 다니다
- ☐ 여기저기 다니다
- ☐ 이런저런 이야기를 하다
- ☐ 한가하게 지내다
- ☐ 정신없이 지내다
- ☐ 그저 그렇게 지내다
- ☐ 특별한 일 없이 지내다

2.

1번을 참고하여 그림에 알맞은 어휘를 써 보세요.

1) 이게 얼마 만이야

2) ……………………

3) ……………………

4) ……………………

5) ……………………

3.

위에서 배운 어휘를 활용하여 친구와 인사해 보세요.

오랜만이야. 그동안 어떻게 지냈니?

나야 뭐 그저 그렇게 지냈어. 너는?

오랜만이야	웬일이야	정신없이 지냈어	그저 그렇게 지냈어
이게 얼마 만이야	어머, 반갑다	한가하게 지냈어	?

-니?, -자

아랫사람 또는 친구와 같이 친한 사이에서
질문을 하거나 권유 혹은 제안을
할 때 사용한다.

가 : 수지야, 그동안 어떻게 지냈니?
나 : 오랜만이에요. 저는 고향에 다녀왔어요.

가 : 다음 주에 한국어 말하기 시험이 있는데 걱정이야.
나 : 나도 그래. 그럼 우리 같이 공부하자.

방학 때 뭐 하고 지냈니?

유진, 어디에 가니?

편의점에 가는 길이야.

어, 그래? 나도 편의점에 가려고 했는데, 그럼 같이 가자.

1. 다음과 같이 대화를 완성해 보세요.

1) 가: 안나, 지난 시간에 숙제 있었지? 혹시 너는 ____________________?
   나: 아니. 아직 못 했어. 지금 도서관에 가려고 하는데 같이 갈래?

2) 가: 선배, 저 어떡해요. 깜빡하고 책을 안 가져왔어요.
   나: 그럼 오늘은 나랑 같이 ____________________.

3) 가: 오늘은 매운 게 먹고 싶은데 이따 떡볶이 먹으러 갈까?
   나: 미안해. 내가 오늘 속이 좀 안 좋아서. 떡볶이는 다음에 ____________________.

4) 가: 민수야, 너 왜 그래? 어디 ____________________?
   나: 수업 끝나고 급하게 나오다가 계단에서 미끄러졌어.

2. 여러분은 주말에 뭐 할 거예요? 다음과 같이 이야기해 보세요.

1) 

2) 

3) 

4) 

주말에 뭐 할 거니? 별일 없으면 같이 영화 보러 가자.

특별히 할 일도 없는데, 그럼 그럴까?

문법 2

-아/어 보이다

어떤 대상에 대해 짐작하거나 추측할 때 사용한다.

가: 와! 떡볶이가 정말 맛있어 보여요.
나: 정말요? 처음 만들어 봤는데 다행이에요.

가: 많이 바빠 보이네. 좀 도와줄까?
나: 괜찮아. 금방 마무리할 수 있어.

우리 세종학당 선생님들은 모두 친절해 보여요.

1. 다음에서 알맞은 것을 골라 대화를 완성해 보세요.

저 옷은 어때? 나는 저 옷이 더 괜찮아 보이는데.

음. 나도 그렇게 생각하는데 저 옷은 좀 비싸 보여. 얼마인지 물어볼까?

넓다 / 편안하다 / 무섭다 / 비싸다 / 피곤하다

1) 가: 마리 씨, 무슨 일이 있어요? ....
   나: 네. 어제 야근을 해서 잠을 잘 못 잤어요.

2) 가: 주노 씨, 집이 ....
   나: 그래요? 거실 창문이 커서 그런 것 같아요.

3) 가: 와! 우리 저 놀이 기구 타자!
   나: 나는 싫어. 저거는 좀 ....

4) 가: 저 소파 정말 좋아 보이는데 저건 어때요?
   나: 그러게요. 저게 제일 ....

2. 이 사람들의 기분은 어떤 것 같아요? 다음과 같이 이야기해 보세요.

민호 씨는 오늘 어때 보여요?

민호 씨는 오늘 기분이 좋아 보여요. 아마 좋은 일이 있는 것 같아요.

1) 
민호

2) 
마리

3) 
유진

4) 
....

안부 인사

1.

오랜만에 만난 사람들과 어떤 말을 해요? 안나 씨와 유진 씨가 오랜만에 만났어요.
다음을 잘 듣고 질문에 답하세요.

안나: 어머, 이게 누구야? 유진 아니니? 얼마 만이야. 그동안 어떻게 지냈니?

유진: 와, 정말 오랜만이야. 잘 지냈니? 난 고향에도 다녀오고 잘 지냈어. 안나 넌?

안나: 나도 잘 지냈어. 근데 너 건강해 보인다. 전보다 얼굴도 더 좋아 보이고.

유진: 아, 그래? 방학 때 쉬면서 여기저기 다녀서 그런가?

안나: 부럽다. 나도 방학 때 여행 가고 싶었는데, 일이 좀 많았어.

유진: 그랬구나. 오랜만에 보니 정말 반갑다.

1) 두 사람은 무슨 이야기를 하고 있어요?

2) 들은 내용과 같으면 ○, 다르면 × 표시를 하세요.

① 안나 씨는 방학 때 여행을 다녔어요. (　　)

② 안나 씨와 유진 씨는 오랜만에 만났어요. (　　)

③ 유진 씨는 방학 때 일이 많아서 고향에 못 갔어요. (　　)

2.

다음과 같이 이야기해 보세요.

오랜만이야. 잘 지냈니? 건강해 보이네.

그래? 방학 때 이곳저곳을 다니면서 여행을 했어.

건강하다	이곳저곳을 다니다
피곤하다	회사에 일이 많다
기분이 좋다	유학을 가게 되다

활동 2

방학에 하고 싶은 일

1. 방학이나 휴가 때 어떤 일을 하고 싶어요? 다음을 읽고 질문에 답하세요.

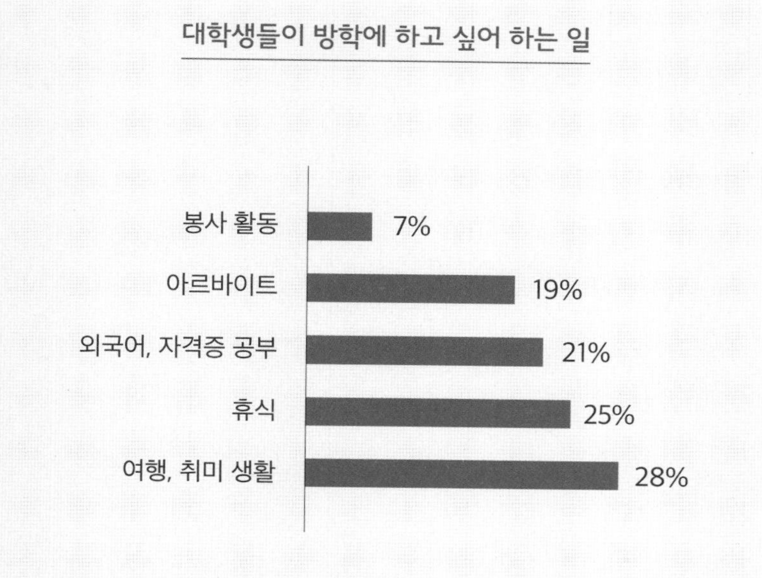

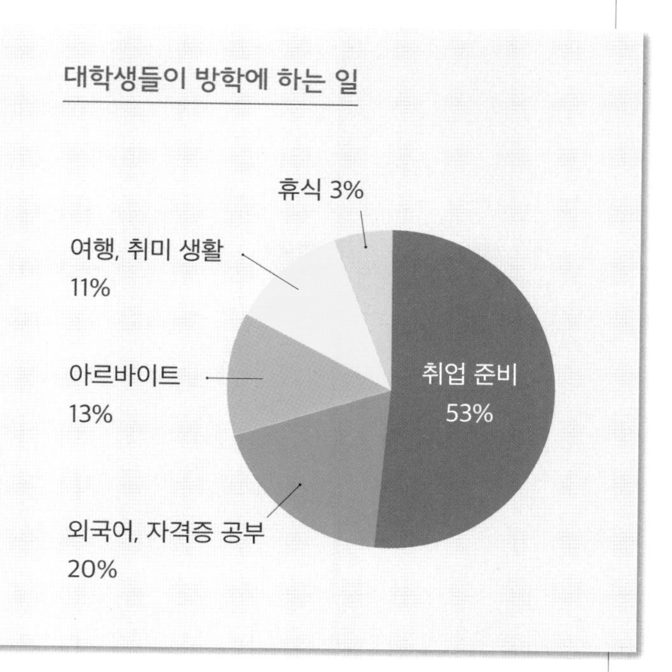

1) 대학생들은 방학에 어떤 일을 가장 하고 싶어 해요?

2) 대학생들은 실제로 방학 때 주로 어떤 일을 해요?

2. 여러분이 방학에 하고 싶은 활동은 무엇인지 순위를 정해서 써 보세요.

이렇게 말해요

마크 씨, 정말 오랜만이에요. 그동안 어떻게 지냈어요?

음. 특별한 일 없이 **그냥저냥** 지냈어요.

자기 점검

- ◇ 다른 사람과 안부를 묻고 답할 수 있어요?
- ◇ 친한 사람과 반말을 사용해서 이야기할 수 있어요?

어휘와 표현: 근황과 소식 문법: -는다고/ㄴ다고/다고 하다, -나/(으)ㄴ가 보다

2

요즘 좀 바쁘다고 해

친구의 소식을 묻고 답할 수 있어요.

01
두 사람은 지금 무슨 이야기를
하고 있을까요?

02
여러분은 최근에 어떤 소식을
들었어요?

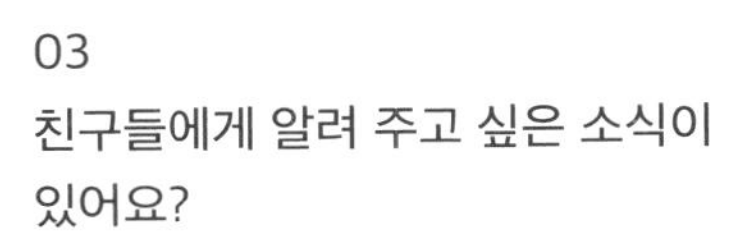

03
친구들에게 알려 주고 싶은 소식이
있어요?

이야기를 하면서 알게 된 어휘

근황과 소식

1\. 다음 어휘의 뜻을 알아볼까요? 여러분이 들어 본 어휘에 ∨ 표시를 해 보세요.

- ☐ 입학을/졸업을 하다
- ☐ 일자리를 구하다/찾다
- ☐ 일을/업무를 맡다
- ☐ 운전면허를 따다
- ☐ 장학금을 받다
- ☐ 회사에 지원하다
- ☐ 승진하다
- ☐ 청혼을 하다/받다
- ☐ 휴학하다
- ☐ 회사에서 근무하다
- ☐ 일을 그만두다
- ☐ 아이를 낳다

2\. 1번을 참고하여 그림을 보고 문장을 완성해 보세요.

수현 씨는 22살에 운전면허를 땄어요.

....

....

3\. 위에서 배운 어휘를 활용하여 오랜만에 만난 사람들에게 나의 소식을 알려 주세요.

저는 지난 일 년 동안 많은 일이 있었어요.
먼저, 올해 초에는 운전면허를 땄어요.

- 운전면허를 따다
- 청혼을 하다/받다
- 일을 그만두다
- ?

문법 1

-는다고/ㄴ다고/다고 하다

다른 사람에게서 들은 말을 전달할 때 사용한다.

가: 그 소식 들었어요? 민수 씨가 다음 달에 결혼한다고 해요.

나: 진짜요? 정말 잘됐네요.

가: 유성 씨가 오늘 수업에 안 왔네요.

나: 아까 전화했는데 머리가 많이 아프다고 해요.

수지 씨가 이번에 장학금을 받는다고 해요.

1. 다음과 같이 문장을 써 보세요.

민수

지난주에 졸업식을 했어요.

민수 씨가 지난주에 졸업식을 했다고 해요.

1) 주노: 지난주부터 요리를 배워요.

....

2) 마리: 요즘 회사에 일이 좀 많아요.

....

3) 안나: 일자리를 구하는 게 쉽지 않네요.

....

4) 선생님: 말하기 대회 신청은 내일까지 해야 해요.

....

2. 최근 들은 소식 중에서 친구에게 전하고 싶은 소식이 있어요? 다음과 같이 이야기해 보세요.

다음 달에 제가 좋아하는 가수가 콘서트를 한다고 해요. 콘서트가 끝나고 사인회도 한다고 해요. 직접 가서 꼭 보고 싶어요.

-나/(으)ㄴ가 보다

어떤 사실이나 상황을 보거나 들은 내용으로 추측해서 이야기할 때 사용한다.

가: 리사 씨가 휴학했나 봐요. 이번 학기에 한 번도 못 봤어요.
나: 네. 휴학하고 고향에 돌아갔어요.

가: 진 씨가 요즘 기분이 안 좋은가 봐요.
나: 네. 열심히 했는데 이번에 장학금을 못 받았다고 해요.

마리 씨와 재민 씨는 정말 친한가 봐요.

1.

다음에서 알맞은 것을 골라 대화를 완성해 보세요.

요즘 재민 씨를 만난 적이 있어요?

저도 오래 못 만났어요. 요즘 회사에 일이 많은가 봐요.

- 사고가 나다
- 시험이 많이 어렵다
- 몸이 안 좋다
- 일이 많다

1) 가: 아, 저 이번에 합격 못 했어요.
나: 정말요? ....
열심히 했는데 어떻게 해요?

2) 가: 이 시간에 왜 이렇게 길이 막히지요?
나: 저기 .... 운전 조심해요.

3) 가: 오늘 너무 추운 것 같아요.
나: 전 괜찮은데 소피 씨 ....

2.

우리 반 친구에게 요즘 어떤 일이 있는 것 같아요?
다음과 같이 이야기해 보세요.

수지 씨는 요즘 시험공부를 하나 봐요. 매일 도서관에 가는 걸 봤어요.

- 시험공부를 하다
- 연예인에게 관심이 많다
- ?

⊕ 더 알아봐요

명사는 '인가 보다'를 붙여 쓸 수 있어요. 1인칭 주어와는 함께 쓰이지 않아요.

- 민호 씨는 대학생인가 봐요.

활동 1

친구의 소식

1.

오랫동안 만나지 못한 친구의 근황을 알아요? 안나 씨와 유진 씨가 재민 씨의 소식에 대해 이야기해요. 다음을 잘 듣고 질문에 답하세요.

01

유진: 요즘 재민 씨 소식 들었어? 오래 못 본 것 같아.

안나: 회사에서 새로 일을 맡아서 요즘 좀 바쁘다고 해. 그리고 얼마 전에 한국에 출장도 다녀왔다고 했어.

유진: 그렇구나. 요새 많이 바쁜가 보네.

안나: 응. 안 그래도 유진이 네가 고향에서 돌아오면 만나고 싶다고 했는데 다음 주에 만나서 같이 밥 먹을까?

유진: 좋아. 고향에서 재민 씨 선물도 사 왔는데 그때 주면 되겠네.

안나: 그럼 내가 재민 씨한테 연락해 볼게.

1) 재민 씨는 요즘 어떻게 지내요?

2) 들은 내용과 같으면 ○, 다르면 × 표시를 하세요.

① 재민 씨는 지금 한국에 있어요. (　　)

② 유진 씨는 고향에 갔다 왔어요. (　　)

③ 유진 씨는 재민 씨를 오랫동안 못 만났어요. (　　)

2.

친구의 에스엔에스(SNS)를 보고 친구의 소식을 이야기해 주세요.

친구의 에스엔에스(SNS)를 보세요. 어떤 소식이 있어요?

마야 씨는 요즘 한국어능력시험을 준비하나 봐요. 매일 열심히 공부한다고 해요. 한국 대학에 입학하고 싶다고 해요.

Mayaaa

#한국어능력시험 #열공
#한국_대학 #입학
7월 27일

발음

입학
[이팍]

받침 'ㅂ' 뒤에 'ㅎ'이 오는 경우에는 두 소리를 합하여 [ㅍ]으로 발음해요.

듣고 따라 해 보세요.

- 3월에 **입학을** 해요.
- **급하게** 나오다가 미끄러졌어.
- 무늬가 너무 **복잡한** 것 같아요.

친구에게 보내는 메일

1. 친구에게 이메일을 자주 보내요? 다음 글을 읽고 질문에 답하세요.

새 메일

보내는 사람 annaanna@sjmail.com

받는 사람 jmk@han.net

제목 재민 씨, 잘 지냈어요?

재민 씨, 잘 지냈어요? 요즘도 많이 바빠요?

저는 어제 유진이랑 오랜만에 만났는데 고향에서 아주 재미있게 지냈다고 했어요. 유진이 재민 씨에게 주려고 선물을 사 왔다고 하면서 재민 씨의 안부를 물었어요. 그래서 요즘 회사 일 때문에 좀 바쁘다고 했어요.

오랫동안 못 만났으니까 이번에 만나서 같이 밥도 먹고 이야기도 하고 싶어요. 제가 곧 한국어 시험이 있어서 이번 주에는 좀 바쁜데 다음 주에 시간이 있어요? 괜찮으면 이야기해 주세요. 연락 기다릴게요.

– 안나가.

1) 다음은 누구에 대한 소식이에요?

① (   ) 씨는 한국어 시험을 준비해요.

② (   ) 씨는 회사에 일이 많아서 바빠요.

③ (   ) 씨는 얼마 전에 고향에서 돌아왔어요.

2) 안나 씨는 왜 재민 씨에게 이메일을 썼어요?

2. 친구에게 전하고 싶은 소식이 있어요? 이메일을 써 보세요.

새 메일

보내는 사람

받는 사람

제목

이렇게 말해요

요즘 민수랑 통화한 적 있어? 졸업한 후로 통 연락이 없네.

무소식이 희소식이지. 잘 지내고 있을 거야.

자기 점검

◇ 친구의 소식을 묻고 답할 수 있어요?

◇ 다른 사람에게 무슨 일이 있는지 추측해서 말할 수 있어요?

3

이번에 이사를 할까 해요

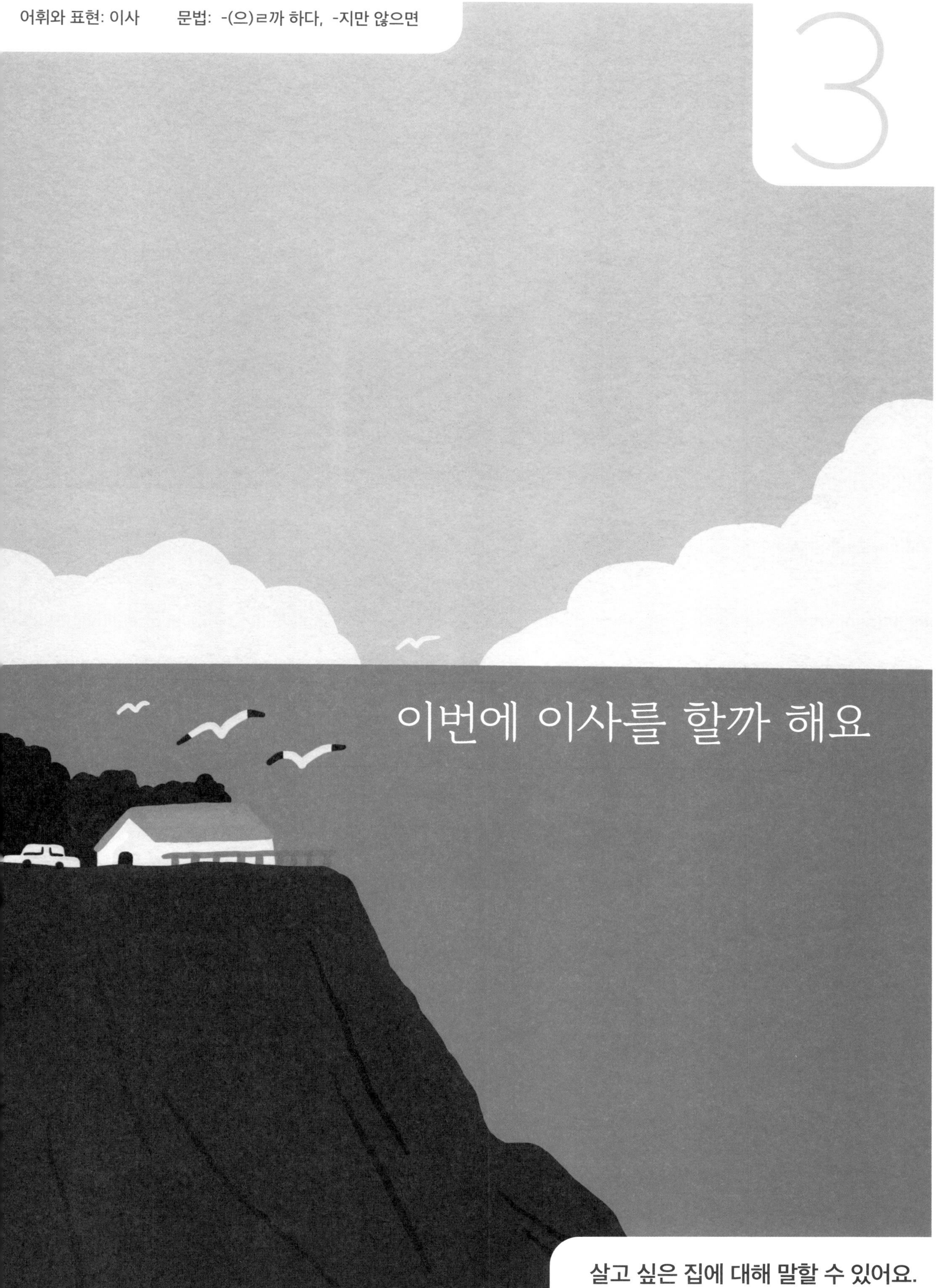

살고 싶은 집에 대해 말할 수 있어요.

01
두 집은 어떻게 달라요?

02
세계에는 여러 형태의 집이 있어요. 어떤 특징이 있어요?

03
여러분은 어떤 집에서 살고 싶어요?

이야기를 하면서 알게 된 어휘

이사

1.

다음 어휘의 뜻을 알아볼까요? 여러분이 들어 본 어휘에 ∨ 표시를 해 보세요.

- ☐ 부동산
- ☐ 이삿짐 센터
- ☐ 계약
- ☐ 월세
- ☐ 보증금
- ☐ 이삿날

- ☐ (이삿짐을) 싸다
- ☐ (이삿짐을) 나르다/옮기다
- ☐ (이삿짐을) 풀다
- ☐ (이삿짐을) 정리하다
- ☐ 집으로 초대하다
- ☐ 집들이를 하다
- ☐ 시장이 가깝다
- ☐ 교통이 편리하다
- ☐ 주변 환경이 조용하다

2.

1번을 참고하여 그림의 상황을 써 보세요.

계약을 해요. → .... → ....

.... → ....

3.

위에서 배운 어휘를 활용하여 어떤 집에서 살고 싶은지 이야기해 보세요.

저는 주변 환경이 깨끗하고 조용한 곳에서 살고 싶어요.

- 주변 환경이 깨끗하고 조용하다
- 시장이나 마트가 가깝다
- 교통이 편리하다
- ?

문법 1

-(으)ㄹ까 하다

말하는 사람의 의도를 나타내거나 바뀔 수 있는 계획을 말할 때 사용한다.

가 : 이번 주말에 뭐 할 거예요?
나 : 부동산에 가서 이사할 집을 알아볼까 해요.

가 : 오랜만에 같이 영화 볼까?
나 : 미안해. 오늘은 피곤해서 집에서 쉴까 해.

내일 기온이 떨어진다고 해서 겨울 코트를 꺼내 입을까 합니다.

1. 다음과 같이 대화를 완성해 보세요.

여름 방학 때 뭐 할 거예요?
서점에서 아르바이트를 할까 해요.

1) 가: 생일 파티는 어디에서 할 생각이에요?
나: ....

2) 가: 주말에 친구를 만나면 뭐 할 거예요?
나: ....

3) 가: 대학교를 졸업하면 취직할 거예요?
나: ....

4) 가: 이번 휴가에 뭐 할 생각이에요?
나: ....

⊕ 더 알아봐요

말하는 사람의 의지를 나타내는 문법에는 '-(으)ㄹ까 해요, -(으)ㄹ 거예요, -(으)려고 해요' 등이 있어요.

의지가 강한 정도는 '-(으)ㄹ 거예요 > -(으)려고 해요 > -(으)ㄹ까 해요' 순이에요.

2. 여러분은 어떤 계획을 가지고 있어요?
다음과 같이 이야기해 보세요.

5년 10년 1년

대학원에 가다
취직을 하다
한 달 동안 해외여행을 가다
?

저는 일 년 후에 대학원에 갈까 해요.
오 년 후에~ 십 년 후에~.

-지만 않으면

원하지 않는 상황이나 조건을
제외할 때 사용한다.

가 : 내일 어떤 영화를 볼까요?
나 : 너무 무섭지만 않으면 다 괜찮아요.

가 : 어떤 집을 찾고 있어요?
나 : 학교에서 너무 멀지만 않으면 돼요.

비가 오지만 않으면 야외 공연을 할 거예요.

1. 다음과 같이 대화를 완성해 보세요.

주말에 뭐 할 거야?

너무 덥지만 않으면 등산을 가려고 해.

1) 가: 동생이 정말 귀엽네요.
   나: 맞아요. 그런데 동생이 너무 많이 울어요. .... 더 귀여울 거 같아요.

2) 가: 주말에 유진 씨 집들이에 갈 거지요?
   나: 네. .... 참석하려고 해요. 그런데 요즘 일이 많아서 걱정이에요.

3) 가: 점심 뭐 먹을까요?
   나: 저는 .... 다 괜찮아요.
   매운 건 잘 못 먹어요.

4) 가: 오늘 수업 마치고 노래방에 가자.
   나: .... 가고 싶은데 내일 시험이 있어.

⊕ 더 알아봐요

명사의 경우 '만 아니면'의
형태로 쓸 수 있어요.

• 난 공포 영화만 아니면 괜찮아.

2. 여러분이 집을 고를 때 피하고 싶은 곳은 어떤 곳이에요? 다음과 같이 이야기해 보세요.

주변이 시끄럽다

집이 오래되다

?

저는 주변이 시끄럽지만 않으면 괜찮아요.

활동 1

살고 싶은 집

1.

지금 사는 집은 어때요? 수지 씨와 주노 씨가 이사 갈 집에 대해 이야기해요.
다음을 잘 듣고 질문에 답하세요.

수지: 주노 씨, 이 주변에 괜찮은 집이 있어요? 이번에 이사를 할까 해서요.

주노: 왜 갑자기 이사를 하려고 해요? 기숙사 생활이 불편해요?

수지: 아니요. 혼자 살아 보고 싶어서요. 그리고 기숙사에서는 요리를 못 하니까요.

주노: 그렇군요. 혹시 원하는 집이 있어요?

수지: 다른 건 괜찮고 학교에서 많이 멀지만 않으면 돼요.

주노: 그럼 우리 집 근처는 어때요? 수지 씨 학교까지는 걸어서 10분밖에 안 걸려요. 주변 환경도 조용하고 마트가 가까워서 살기도 편하고요.

1) 수지 씨는 왜 이사를 하려고 해요?

2) 들은 내용과 같으면 ○, 다르면 × 표시를 하세요.

① 주노 씨의 집 근처는 조금 시끄러워요. ( )

② 수지 씨는 지금 기숙사에서 살고 있어요. ( )

③ 수지 씨는 학교에서 가까운 집을 찾고 있어요. ( )

2.

여러분이 살고 싶은 집에 대해 이야기해 보세요.

1) 여러분은 어떤 집에서 살고 싶어요?

2) 그 이유는 뭐예요?

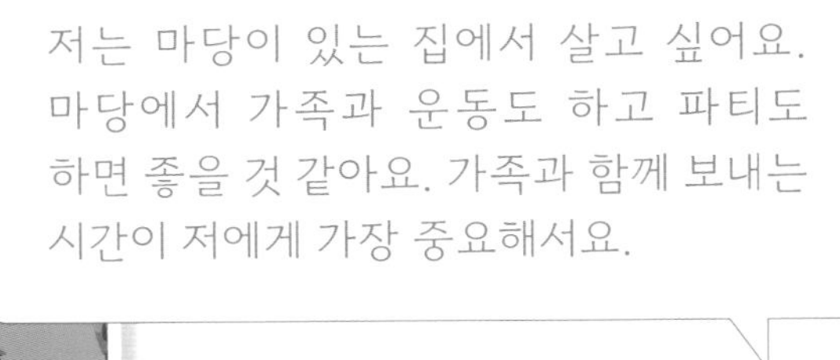

집 광고

1. 집이나 방을 구해 본 적이 있어요? 다음 광고를 보고 어떤 집에서 살고 싶은지 이야기해 보세요.

살기 편리한 집

방, 화장실 따로 사용
거실, 주방 공용
가구, 가전제품 있음
버스 정류장까지 걸어서 2분

큰 집을 찾으세요?

방 2개, 화장실 1개
주방, 거실 있음
에어컨 있음
위치: 시청역 근처

아늑한 숲속 작은 집

텔레비전, 냉장고,
에어컨 완비
아침, 저녁 가정식 준비

2. 룸메이트를 구하려고 해요. 여러분이 살고 있는 집을 광고해 보세요.

이렇게 말해요

어떤 집을 구해? 원룸? 투룸?

원룸이면 충분해. 혼자 살 거라서.

자기 점검

◇ 살고 싶은 집에 대해 말할 수 있어요?

◇ 앞으로의 계획을 말할 수 있어요?

4

나는 거실 청소를 할 테니까 넌 주방 청소를 해 줘

다른 사람에게 집안일을 제안할 수 있어요.

01
이 사람들은 지금 무엇을 하고 있어요?

02
여러분이 매일 하는 집안일은 뭐예요?

03
여러분이 하기 싫은 집안일은 뭐예요?

이야기를 하면서 알게 된 어휘

집안일

1.

다음 어휘의 뜻을 알아볼까요? 여러분이 들어 본 어휘에 ∨ 표시를 해 보세요.

☐ 청소기, 세탁기	☐ 걸레, 대걸레	☐ 빗자루, 쓰레받기
☐ 쓰레기통	☐ 주방 세제, 세탁 세제	☐ 고무장갑

☐ 청소기를/세탁기를 돌리다	☐ 설거지를 하다	☐ 손빨래를 하다
☐ 바닥을 쓸다/닦다	☐ 빨래를 널다	☐ 걸레질을 하다
☐ 쓰레기를 버리다	☐ 쓰레기통을 비우다	☐ 먼지를 털다

2.

1번을 참고하여, 그림의 사람들이 무엇을 하고 있는지 써 보세요.

1)

식탁을 닦아요.

2)

3)

4)

5)

6)

3.

위에서 배운 어휘를 활용하여 여러분이 주말에 하는 집안일을 순서대로 이야기해 보세요.

저는 주말에 일어나면 빨래부터 해요.
그리고 아침을 준비해요. 아침을 먹고
설거지를 한 후에 조금 쉬어요.

문법 1

-고 나서

앞의 행위를 끝내고 뒤의 행위를 할 때 사용한다.

가: 아침에 일어나면 뭐 해요?
나: 이를 닦고 나서 물을 한 잔 마셔요.

가: 밥 먹고 나서 뭐 할까?
나: 영화 보는 게 어때?

운동하고 나서 샤워를 하면 기분이 좋습니다.

⊕ 더 알아봐요

'-고 나서'는 '-(으)ㄴ 후에'와 바꿔 쓸 수 있어요.

- 이사하고 나서 집들이를 해요.
- 이사한 후에 집들이를 해요.

1. 그림을 보고 써 보세요.

 →  손을 씻고 나서 밥을 먹어요.

1)  → 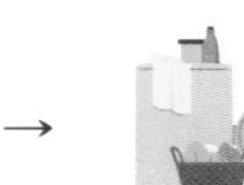 

2)  →  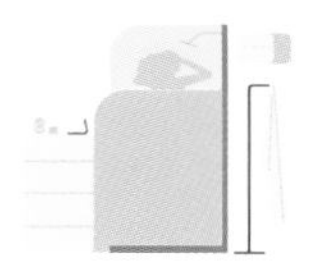

3)  → 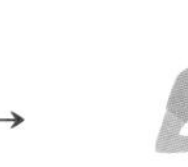 

4)  →  

2. 여러분이 하고 싶은 일은 뭐예요? 다음과 같이 이야기해 보세요.

 → 

시험을 치고 나서 집에서 푹 쉬고 싶어요.

- 시험을 치다
- 발표 준비를 하다
- 아르바이트를 하다
- ?

-(으)ㄹ 테니까

말하는 사람의 의지를 나타내는 앞의 내용에 근거하여 듣는 사람에게 뒤의 내용을 요청할 때 사용한다.

가: 우리 오늘 청소하자. 집이 너무 지저분하네.
나: 그래. 내가 바닥을 닦을 테니까 너는 설거지 좀 해 줘.

가: 어떡하지요? 아직 발표 준비를 덜 했어요.
나: 그래요? 제가 도와줄 테니까 너무 걱정하지 마세요.

내가 오늘 맛있는 거 사 줄 테니까 같이 저녁 먹자.

1. 다음에서 알맞은 것을 골라 대화를 완성해 보세요.

내일 마리 씨 생일이에요.
그래요? 그럼 제가 케이크를 준비할 테니까 주노 씨는 꽃을 준비해 주세요.

- 밥을 사다
- 도와주다
- 가르쳐 드리다
- 준비하다
- 오다

1) 가: 제가 오늘 .... 맛있는 거 먹으러 가요.
나: 그럼 밥 먹고 커피는 제가 살게요.

2) 가: 시청이 어디에 있어요? 길을 잘 모르겠어요.
나: 제가 .... 저를 따라오세요.

3) 가: 숙제를 아직 다 못 했어. 너무 어렵네.
나: 숙제가 어려워? 내가 ....
스트레스 받지 마.

4) 가: 지금 몇 시야? 이렇게 늦게 집에 오면 어떡해?
나: 다음부터 집에 일찍 .... 화 푸세요.

2. 다른 사람과 해야 할 일을 나눌 때는 어떻게 말해요? 다음과 같이 이야기해 보세요.

	나	다른 사람
1)	시장	설거지
2)	회의 준비	회의실 정리
3)		

내가 시장에 갔다 올 테니까 넌 설거지 좀 해 줘.

⊕ 더 알아봐요

'-(으)ㄹ 테니까'는 추측의 의미로도 사용할 수 있어요.

- 오늘 오후에 비가 올 테니까 우산을 준비하세요.
- 이번 시험은 어려울 테니까 열심히 공부해야 해요.

활동 1

집안일 나누기

1.

누구와 살아요? 누가 집안일을 많이 해요? 안나 씨와 마리 씨가 집안일에 대해 이야기해요.
다음을 잘 듣고 질문에 답하세요.

01

안나: 벌써 저녁 먹을 시간이네. 마리, 오늘 뭐 해 먹을까?

마리: 음. 청소부터 하고 나서 요리를 하는 게 어떨까? 거실이랑 주방만 간단하게 정리하면 될 거 같은데.

안나: 좋아. 그럼 나는 거실 청소를 할 테니까 넌 주방 청소를 해 줘.

마리: 알겠어. 주방은 청소할 것도 별로 없어서 금방 끝날 거 같아.

안나: 아, 쓰레기는 그대로 둬. 내가 거실 청소 끝내고 나서 버릴게.

마리: 응. 청소기는 내가 먼저 써도 되지?

1) 두 사람은 지금 무엇을 하려고 해요?

2) 들은 내용과 같으면 ○, 다르면 × 표시를 하세요.

① 마리 씨는 주방을 정리하려고 해요. ( )

② 두 사람은 밥을 먹고 나서 청소를 할 거예요. ( )

③ 안나 씨는 지금 주방에서 요리를 하고 있어요. ( )

2.

룸메이트와 함께 집안일을 나누려고 해요.
계획을 세워 이야기해 보세요.

거실 청소는 이틀에 한 번씩 해요. 두 사람이 한 번씩 청소하는 게 좋을 것 같아요.

	집안일	언제	누가
1)	거실 청소하기	이틀에 한 번	나 한 번, 친구 한 번
2)	쓰레기 버리기		
3)			

발음

버릴게
[버릴께]

'-(으)ㄹ' 뒤에 오는 'ㄱ, ㄷ, ㅂ, ㅅ, ㅈ'은 [ㄲ], [ㄸ], [ㅃ], [ㅆ], [ㅉ]으로 발음해요.

듣고 따라 해 보세요.

- 내가 먼저 **쓸게**.
- 내일 일찍 **올게요**.
- 열심히 **공부할게요**.

좋아하는 집안일

1. 가장 시간이 오래 걸리는 집안일은 뭐예요? 다음을 읽고 질문에 답하세요.

〈좋아하는 집안일〉

	남	여
1위	장보기	집 청소
2위	설거지	빨래
3위	집 청소	식사 준비
4위	빨래	설거지
5위	식사 준비	장보기

1) 남성이 좋아하는 집안일과 여성이 좋아하는 집안일은 어떻게 달라요?

2) 여러분이 좋아하는 집안일은 뭐예요?

2. 여러분 집에서는 집안일을 어떻게 나눠서 해요? 다음과 같이 써 보세요.

우리 집에서는 아버지가 요리를 하시고 어머니는 설거지를 하십니다.
저는 이틀에 한 번 쓰레기통을 비웁니다.

이렇게 말해요

주말마다 뭐 해요?

밀린 집안일을 하죠. 집안일은 **해도 해도 끝이 없어요**.

자기 점검

◇ 집안일에 대해 말할 수 있어요?

◇ 다른 사람에게 집안일을 제안할 수 있어요?

5

환불하려면 영수증이 필요합니다

물건을 교환하거나 환불할 수 있어요.

01
여자는 여기에 왜 왔을까요?

02
여러분은 최근에 물건을 바꾸거나
환불을 받은 적이 있어요?

03
물건을 바꾸거나 환불하려면 어떻게
해야 해요?

이야기를 하면서 알게 된 어휘

교환과 환불

1. 다음 어휘의 뜻을 알아볼까요? 여러분이 들어 본 어휘에 ∨ 표시를 해 보세요.

- ☐ 구입하다
- ☐ 결제하다
- ☐ 카드로/현금으로 계산하다
- ☐ 가격이 저렴하다
- ☐ 디자인이 마음에 들다
- ☐ 어울리다/안 어울리다
- ☐ 사이즈가 딱 맞다/안 맞다
- ☐ 얼룩이 있다
- ☐ 끈이/장식이 떨어지다
- ☐ 망가지다
- ☐ 교환하다
- ☐ 환불하다

2. 1번을 참고하여 그림의 상황을 써 보세요.

1) 

사이즈가 안 맞아요.

2) 

....

3) 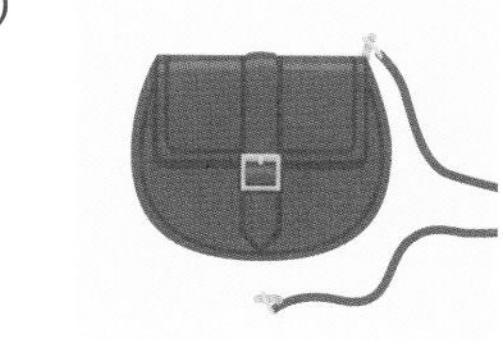

....

4) 

....

5) 

....

3. 위에서 배운 어휘를 활용하여 교환이나 환불한 경험을 이야기해 보세요.

지난 주말에 셔츠를 샀는데 사이즈가 안 맞아서 교환했어요.

-아/어 보니까

어떤 일을 경험한 후에 알게 된 새로운 사실이나 느낌, 생각을 표현할 때 사용한다.

가: 유리 씨, 어제 선물 받은 구두 신어 봤어요?
나: 네. 집에 가서 신어 보니까 저한테 딱 맞았어요.

가: 제주도에 가 보니까 어땠어요?
나: 바다가 정말 아름다웠어요.

김치를 먹어 보니까 맵지 않고 맛있었습니다.

1. 다음과 같이 대화를 완성해 보세요.

민수 씨, 여기 웬일이에요?

어제 산 옷을 집에서 입어 보니까 좀 커서 바꾸려고요.

1) 가: 불고기 만들어 봤어요?
   나: 네. ______________________ 생각보다 쉬웠어요.

2) 가: 어제 소개 받은 사람 어땠어요?
   나: ______________________ 저하고 말이 잘 통해서 좋았어요.

3) 가: 경기장에서 직접 ______________________ 더 재미있는 것 같아요.
   나: 그렇죠? 역시 야구는 경기장에서 직접 봐야 해요.

4) 가: 혼자 사는 거 어때요? 이제 적응이 좀 됐어요?
   나: 네. ______________________ 자유롭고 편한 거 같아요.

⊕ 더 알아봐요

'-아/어 보니까'의 뒤 문장에는 보통 과거의 표현이 와요.
- 옷을 입어 보니까 딱 맞았어요.

'-아/어 보니까' 앞에 동사 '보다'를 쓸 때에는, '보니까'의 형태로 사용해요.
- 영화를 보니까 더 재미있었어요.

2. 여러분의 여행 경험을 이야기해 보세요.

지난 방학에 경주에 갔어요. 경주에 가 보니까 오래된 멋진 건물이 정말 많았어요.

-(으)려면

어떤 행동을 할 생각이나 계획이 있는 경우를 가정할 때 사용한다.

가: 싸고 예쁜 옷을 사려면 어디에 가야 돼요?
나: 학교 근처에 새로 생긴 옷 가게에 한번 가 보세요.

가: 신분증을 다시 만들려면 뭐가 필요해요?
나: 신청서랑 사진을 가져와야 해요.

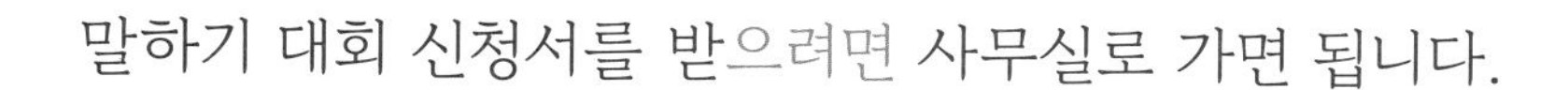
말하기 대회 신청서를 받으려면 사무실로 가면 됩니다.

1. 다음과 같이 대화를 완성해 보세요.

환불하고 싶은데 영수증을 잃어버렸어요.
손님, 죄송하지만 환불하려면 영수증이 필요합니다.

1) 가: 교환은 언제까지 할 수 있어요?
   나: .... 일주일 안에 오셔야 해요.

2) 가: 한국어 수업은 어디에서 신청하면 돼요?
   나: .... 2층에 있는 사무실로 가세요.

3) 가: 세종도서관에 어떻게 가야 해요?
   나: .... 15번 버스를 타면 돼요.

4) 가: 한국 음식을 먹고 싶은데 괜찮은 식당을 알아요?
   나: .... 하나식당에 가 보세요.

2. 여러분은 무엇을 하고 싶어요? 다음과 같이 이야기해 보세요.

한국어를 잘하고 싶어요. 어떻게 해야 해요?
한국어를 잘하려면 한국 드라마도 보고 한국인 친구와 이야기도 많이 해야 해요.

- 한국어를 잘하다
- 돈을 모으다
- 건강하게 살다
- ?

옷 교환

1. 옷을 교환해 본 적이 있어요? 주노 씨가 옷을 교환하러 옷 가게에 갔어요.
다음을 잘 듣고 질문에 답하세요.

직원: 어서 오세요. 무엇을 도와드릴까요?

주노: 어제 이 티셔츠를 사 갔는데 집에서 다시 입어 보니까 사이즈가 좀 큰 것 같아서요. 한 사이즈 작은 걸로 바꿀 수 있을까요?

직원: 아, 그러세요? 잠깐만 기다려 주세요. (잠시 후에) 손님, 죄송하지만 이게 제일 작은 사이즈예요. 다른 디자인은 어떠세요?

주노: 전 이게 마음에 드는데…. 그럼 그냥 환불해 주세요.

직원: 네. 환불하려면 영수증이 필요합니다. 영수증을 좀 보여 주시겠어요?

주노: 잠깐만요. 여기 있어요.

1) 주노 씨는 왜 가게에 왔어요?

2) 주노 씨는 옷을 어떻게 하려고 해요? 왜 그렇게 하려고 해요?

3) 주노 씨는 직원에게 무엇을 줘야 해요?

① 

② 

③ 

2. 물건을 교환하거나 환불한 적이 있어요? 다음과 같이 이야기해 보세요.

1) 언제, 어디에서 무엇을 샀어요?

2) 그 물건을 왜 교환했어요? / 환불했어요?

3) 어떻게 교환했어요? / 환불했어요?

일주일 전에 집 근처에 있는 백화점에서 가방을 샀어요. 그런데 가방이 조금 찢어져 있었어요. 그래서 다른 가방으로 교환을 했어요.

교환 및 환불 유의 사항

1. 교환이나 환불을 할 때 필요한 정보를 알아요? 다음 글을 읽고 질문에 답하세요.

교환 및 환불 유의 사항

- 사용하지 않은 상품만 교환·환불을 할 수 있습니다. (세탁×)
- 교환·환불은 구입 후 7일 이내에 해야 합니다.
- 세일 상품은 환불을 할 수 없습니다. (교환은 가능)
- 태그(tag)가 없는 상품은 교환·환불을 할 수 없습니다.
- 교환·환불을 하려면 영수증을 꼭 가지고 와야 합니다.
  카드로 결제한 경우 카드만 가지고 와도 됩니다.

1) 교환이나 환불을 할 수 있으면 '○', 교환만 할 수 있으면 '△', 둘 다 할 수 없으면 '×' 표시를 하세요.

① 3일 전에 산 티셔츠예요. (　　)
② 얼룩이 있어서 세탁을 했어요. (　　)
③ 30% 세일을 한 바지를 샀어요. (　　)
④ 카드로 샀는데 영수증은 없고 카드만 있어요. (　　)
⑤ 실수로 치마에 붙어 있는 태그를 가위로 잘랐어요. (　　)

2. 인터넷에서 물건을 샀는데 교환이나 환불을 하고 싶어요. 물건을 산 홈페이지의 게시판에 글을 써 보세요.

ㅇ 원하는 서비스에 ☑ 하세요.	□ 교환 □ 환불
ㅇ 구입하신 물건에 ☑ 하세요.	□ 티셔츠 □ 바지 □ 점퍼 □ 치마
ㅇ 구입하신 날짜를 써 주세요.	______ 월 ______ 일

ㅇ 교환 및 환불 신청 이유를 써 주세요.

ㅇ 내용 확인 후 연락 드리겠습니다.

이렇게 말해요

물 사 왔어? 너무 덥다.

응. 여기 있어. 근데 나 **바가지 쓴 것 같아**. 이 물 3,000원이나 주고 샀어.

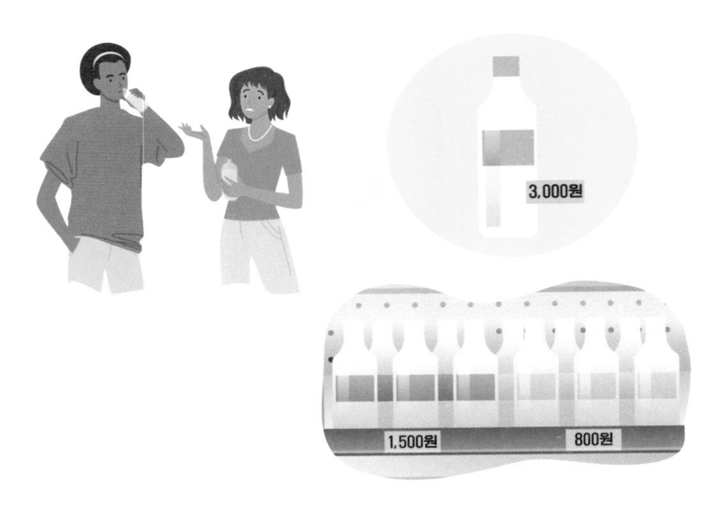

자기 점검

◇ 교환이나 환불 이유를 말할 수 있어요?

◇ 물건을 교환하거나 환불할 수 있어요?

6

새로 사려다가 수리해서 쓰고 있어요

고장 난 물건에 대해 설명할 수 있어요.

S 3A
6

01
여기는 어디예요?

02
두 사람은 무슨 이야기를 하는 것 같아요?

03
여러분의 물건 중에 고장 나거나 수리가 필요한 물건이 있어요?

이야기를 하면서 알게 된 어휘

고장과 수리

1.

다음 어휘의 뜻을 알아볼까요? 여러분이 들어 본 어휘에 ∨ 표시를 해 보세요.

- ☐ 고장이 나다
- ☐ 수리를 맡기다
- ☐ 서비스 센터
- ☐ 화면이 안 나오다
- ☐ 이상한 소리가 나다
- ☐ 소리가 안 나오다
- ☐ 바람이 안 나오다
- ☐ 액정이 깨지다
- ☐ 전원이 안 켜지다
- ☐ 인터넷 연결이 안 되다
- ☐ 전원을 켜다/끄다
- ☐ 플러그를 꽂다/빼다
- ☐ 버튼을 누르다
- ☐ 고치다

2.

1번을 참고하여 그림의 상황을 써 보세요.

1)

화면이 안 나와요.

전원이 안 켜져요.

2)

....

....

3)

....

....

4)

....

....

3.

위에서 배운 어휘를 활용하여 고장 난 물건에 대해 이야기해 보세요.

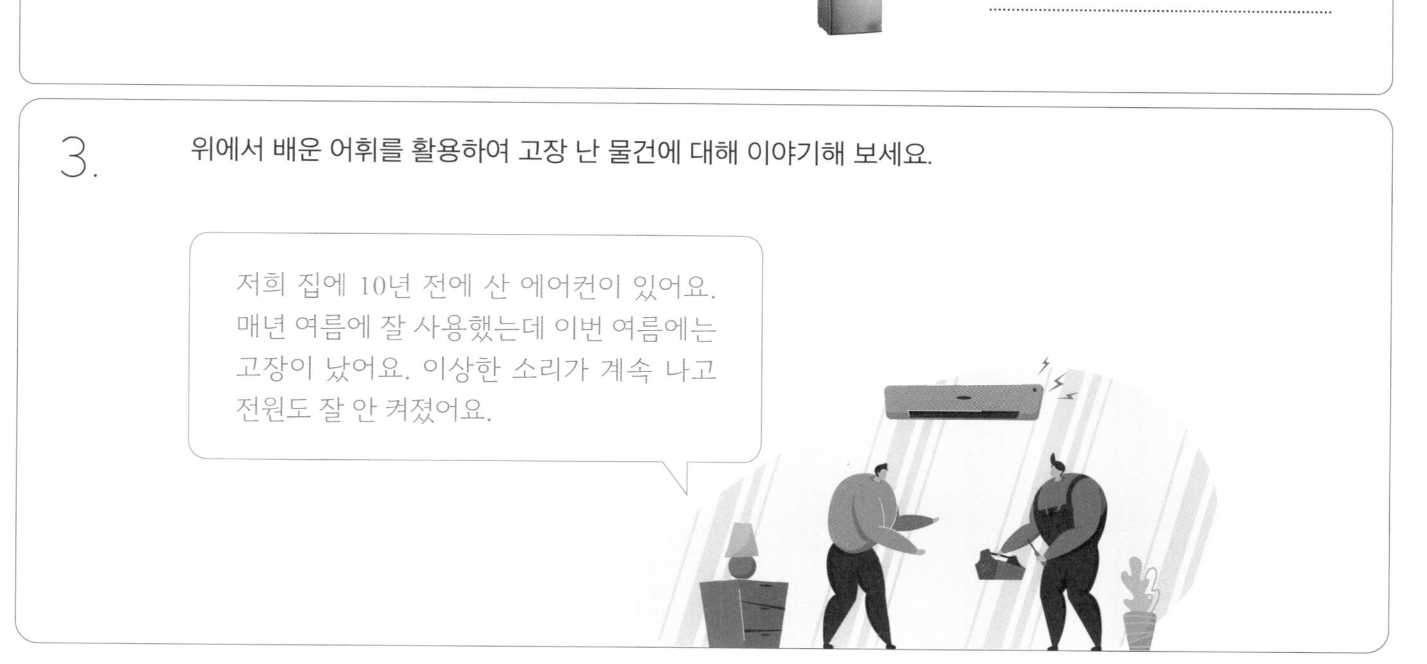

-잖아요

듣는 사람이 이미 알고 있을 거라고 생각하며 이야기할 때 사용한다.

가 : 노트북이 고장 났는데 어떻게 하지요?

나 : 회사 앞에 서비스 센터가 있잖아요. 거기 가 보세요.

가 : 이번 주 금요일이 시험이지?

나 : 아니야. 다음 주 금요일이잖아.

주말에 소풍 갈까요? 요즘 날씨가 좋잖아요.

1. 다음과 같이 대화를 완성해 보세요.

> 엘리베이터가 왜 안 내려오지?
>
> 버튼을 안 눌렀잖아요.

1) 가: 이제 인터넷 연결이 잘 돼요?
   나: 네. ______________________________.

2) 가: 진 씨는 친구들에게 인기가 많은 것 같아요.
   나: 맞아요. ______________________________.

3) 가: 케이크네요. 무슨 날이에요?
   나: 오늘 ______________________________.

4) 가: 아, 나도 동아리에 가입하고 싶다.
   나: ______________________________.

> ⊕ 더 알아봐요
>
> '-잖아요'는 듣는 사람이 잘 기억하지 못하거나 잘 알지 못하고 있는 것을 정확하게 알려 줄 때도 사용해요.
>
> • 회의 시간이 3시로 바뀌었잖아요.

2. 다음 일들의 이유에 대해 이야기해 보세요.

- 저 친구는 어떻게 한국어를 잘할까요?
- 요즘 왜 이렇게 비가 자주 올까요?
- 저 식당은 왜 늘 사람이 많을까요?
- ?

> 저 친구는 늘 한국어로 말하려고 노력하잖아요.

-(으)려다가

어떤 행동을 할 의도가 있었지만
다른 일이 생겨서 그것을 중단하거나
하지 않을 때 사용한다.

가: 미나 씨, 빨리 왔네요.
나: 늦을 것 같아서 버스를 타려다가 택시를 탔어요.

가: 컴퓨터 어떻게 수리했어요?
나: 서비스 센터에 가려다가 컴퓨터를 잘 고치는 친구에게 부탁했어요.

반바지를 입으려다가 조금 추워서 긴 바지를 입었습니다.

1. 다음과 같이 대화를 완성해 보세요.

화면을 수리하는 데 수리비가 그렇게 비쌌어요?
화면만 수리하려다가 전체를 수리했거든요.

1) 가: 카메라 새로 샀어요? 수리 안 하고?
나: 네. .... 그냥 새로 샀어요.

2) 가: 주노 씨한테 노트북 고장 냈다고 말했어요?
나: 아니요. .... 화를 낼 것 같아서 아직 말 못 했어요.

3) 가: 어제 옷 바꾸러 갔어요?
나: 아니요. .... 비가 와서 다음에 가려고요.

4) 가: 마리 씨, 여행 가서 친구랑 사진 많이 찍었어요?
나: 아니요. .... 카메라를 떨어뜨려서 못 찍었어요.

2. 여러분은 하고 싶었는데 하지 못한 일이 있어요? 다음과 같이 이야기해 보세요.

이번 방학 때 수영을 배우려고 했는데 물이 너무 무서워서 배우려다가 포기했어요.

활동 1

고장 난 노트북

1.

물건이 고장 나면 어떻게 해요? 수지 씨와 유진 씨가 고장 난 물건에 대해 이야기해요.
다음을 잘 듣고 질문에 답하세요.

수지: 어, 이게 왜 이러지? 화면이 또 안 나오네.

유진: 수지 씨, 노트북에 또 문제 있어요? 얼마 전에 수리했잖아요.

수지: 네. 새로 사려다가 수리해서 쓰고 있는데 또 고장이 났나 봐요.

유진: 그 노트북 언제 샀어요?

수지: 벌써 7년이나 됐어요. 이제는 화면도 잘 안 나오고 소리가 안 나올 때도 있어요.
이러다가 수리비가 더 들겠어요.

유진: 맞아요. 고쳐서 쓰는 것도 좋지만 그렇게 자주 고장이 나면 그냥 새로 사는 게 더 나아요.

1) 수지 씨의 물건 중에서 고장이 난 물건이 뭐예요?

①  ②  ③ 

2) 수지 씨의 고장 난 물건에는 어떤 문제가 있어요?

3) 유진 씨는 수지 씨에게 어떻게 하는 게 좋다고 했어요?

① 친구에게 수리를 부탁하세요.
② 수리하지 말고 새 걸로 사세요.
③ 서비스 센터에 수리를 맡기세요.

2.

물건이 고장 나서 수리한 적이 있어요? 다음과 같이 이야기해 보세요.

> 핸드폰을 바닥에 떨어뜨려서 고장 난 적이 있어요. 그래서 서비스 센터에서 수리했어요.

1) 고장 난 물건이 뭐예요?
어디가 어떻게 고장 났어요?

2) 고장 난 물건을 어떻게 했어요?
왜 그렇게 했어요?

발음

다른 나라 말에서 온 어휘 중 'ㄱ, ㄷ, ㅂ, ㅅ, ㅈ'으로 표기하는 외래어는 보통 [ㄲ], [ㄸ], [ㅃ], [ㅆ], [ㅉ]으로 발음해요.

듣고 따라 해 보세요.

- **서비스 센터에서** 수리했어요.
- **버스를** 타고 갔어요.
- 이 돈을 **달러로** 바꿔 주세요.

수리 서비스 신청

1. 수리 서비스를 신청하기 전에 무엇을 확인해요? 다음 글을 읽고 질문에 답하세요.

에어컨 수리 서비스를 신청하기 전에 꼭 확인하세요!

- 에어컨에서 찬 바람과 함께 연기 같은 것이 나와요.
  ↳ **실내 온도가 너무 낮아요. 18℃ 아래로 내려가면 나타나는 문제예요. 실내 온도를 높여 주세요.**
- 에어컨 전원이 꺼졌다, 켜졌다 해요.
  ↳ **플러그가 잘 꽂혀 있는지 확인해 보세요.**
- 에어컨 바람에서 냄새가 나요.
  ↳ **필터가 깨끗하지 않아요. 필터를 씻은 후에는 햇볕에 잘 말려 주세요.**
- 에어컨 리모컨에 빨간 불이 들어와요.
  ↳ **배터리가 부족해요. 배터리를 바꿔 주세요.**
- 같은 시간에 계속 에어컨이 저절로 켜져요.
  ↳ **알람 기능이 켜져 있어요. 알람 기능을 꺼 주세요.**

※ 계속 문제가 나타나면 서비스 센터(www.service01.net)로 수리 신청해 주세요.

1) 읽은 내용과 같으면 ○, 다르면 × 표시를 하세요.

① 수리 신청은 전화로 할 수 있어요. (　　)

② 실내 온도가 낮으면 연기가 나올 수 있어요. (　　)

③ 리모컨 배터리가 없으면 파란색 불이 들어와요. (　　)

④ 에어컨 필터를 씻은 후 햇볕에 말리면 냄새가 안 나요. (　　)

⑤ 플러그가 잘 꽂혀 있지 않으면 전원이 꺼졌다, 켜졌다 할 수 있어요. (　　)

2. 가전제품에 문제가 있어요. 인터넷에 문의해 보세요.

제목 : ....

증상 : ....

....

....

....

이렇게 말해요

좀 비싸도 저 태블릿이 낫지 않아?

아니야. 이번에 나온 이게 **가성비**가 좋대.

자기 점검

◇ 물건이 고장 났을 때 수리 신청을 할 수 있어요?

◇ 고장 난 물건에 대해 설명할 수 있어요?

7

여자 친구하고 만난 지 곧 3년이 돼

특별한 날에 대해 말할 수 있어요.

5월 중 가장 중요한 기념일은?

01
무엇에 대해 조사했어요?

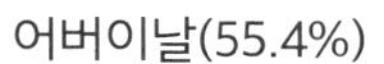

어버이날(55.4%)

어린이날(32.8%)

스승의 날(11.8%)

02
어떤 기념일이 있어요?

03
여러분 나라에는 어떤 기념일이 있어요?

5월

일	월	화	수	목	금	토
	1	2	3	4	5	6
					어린이날	
7	8	9	10	11	12	13
	어버이날					
14	15	16	17	18	19	20
	스승의 날					

이야기를 하면서 알게 된 어휘

기념일, 기념일에 하는 일

1.

다음 어휘의 뜻을 알아볼까요? 여러분이 들어 본 어휘에 ∨ 표시를 해 보세요.

- ☐ 밸런타인데이
- ☐ 100일 / 1주년
- ☐ 결혼기념일
- ☐ 근로자의 날
- ☐ 어린이날
- ☐ 어버이날
- ☐ 부부의 날
- ☐ 세계 여성의 날
- ☐ 스승의 날
- ☐ 성년의 날

- ☐ 기념행사를 하다
- ☐ 외식을 하다
- ☐ 건강식품을 선물하다
- ☐ 기념일을 맞이하다
- ☐ 꽃을 달아 드리다
- ☐ 상품권을 선물하다
- ☐ 기념일을 챙기다
- ☐ 이벤트를 준비하다
- ☐ 케이크를 주문하다

2.

서로 관계있는 그림을 연결하고 그 기념일에 하는 일을 써 보세요.

1) 5월 (1주년) 2) 5월 3) 5월 4) 5월

① ② ③ ④

1) ②, 결혼기념일에 꽃다발을 선물해요.

2) ....

3) ....

4) ....

3.

위에서 배운 어휘를 활용하여 특별한 날에 무엇을 했는지 이야기해 보세요.

저는 밸런타인데이에 직접 만든 초콜릿을 선물했어요.

밸런타인데이

어버이날

성년의 날

?

-(으)ㄴ 지

어떤 일을 한 후 시간이 얼마쯤 지났다는 것을 나타낼 때 사용한다.

3년 전

가: 결혼한 지 얼마나 되셨어요?
나: 3년 됐어요. 다음 주에 결혼기념일이 있어요.

가: 점심 먹은 지 한 시간밖에 안 지났는데 벌써 배가 고프네.
나: 그럼 간식 좀 먹을까?

이 회사에서 일한 지 5년이 되었습니다.

1. 다음과 같이 대화를 완성해 보세요.

피자 배달이 왜 이렇게 안 오지?
음. 전화한 지 꽤 됐는데 아직 안 오네.

1) 가: 마크 씨, 한국어를 .... 얼마나 됐어요?
   나: 6개월쯤 됐어요.

2) 가: 한국에서 오래 살았어요?
   나: 네. .... 벌써 10년이 됐어요.

3) 가: 안나 씨, 이 책 읽어 봤어요?
   나: 네. 그런데 .... 너무 오래돼서 내용이 잘 기억나지 않아요.

4) 가: 민수가 다음 달에 결혼을 한다는데 들었어?
   나: 응. .... 한 달밖에 안 됐는데 결혼한다고 해서 깜짝 놀랐어.

⊕ 더 알아봐요

'-(으)ㄴ 지 얼마나 됐어요?/지났어요?'의 형태로 질문하고 '-(으)ㄴ 지 (시간) 됐어요/지났어요'라고 대답해요. 보통 '지났어요'는 비교적 짧은 시간 표현과 함께 사용해요.

2. 여러분은 이 일을 한 지 얼마나 됐어요? 다음과 같이 이야기해 보세요.

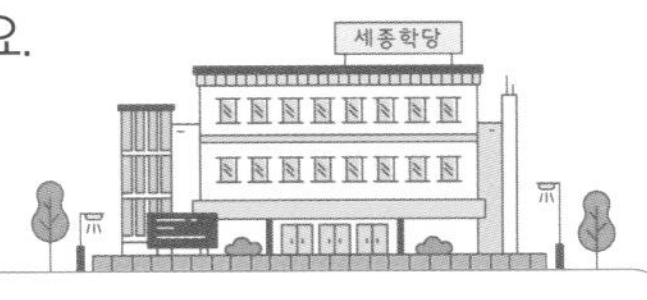

저는 한국어를 배운 지 이제 1년이 지났어요. 처음에는 많이 어려웠지만 이제는 한국 드라마도 볼 수 있어요.

1년 전

- 한국어를 배우다
- 회사 생활을 하다
- 학교를 졸업하다
- ?

-자고 하다

어떤 일을 같이 할 것을 권유하거나 제안할 때 사용한다.

가: 주노가 수영장에 같이 가자고 했는데 너도 같이 갈래?
나: 응. 그래. 같이 가자.

가: 재민 씨, 내일 회의 2시에 하자고 팀원들에게 말해 주세요.
나: 네. 알겠습니다.

주말에 동생에게 어버이날 선물을 사러 가자고 했습니다.

마크 씨, 주말에 뭐 할 거예요?

영화관에 가려고요. 친구가 같이 영화를 보자고 했어요.

1. 그림을 보고 대화를 완성해 보세요.

1) 가: 마리 씨, 주말에 약속 있어요?
나: 동생이 같이 ....

2) 가: 유진 씨, 수업 끝나고 뭐 할 거예요?
나: 마크 씨가 .... 같이 갈래요?

3) 가: 주노 씨가 아까 뭐라고 했어요?
나: 주말에 주노 씨 집에서 같이 ....

4) 가: 안나 씨가 주말에 .... 같이 갈래요?
나: 네. 좋아요. 저도 자전거 타는 거 좋아해요.

⊕ 더 알아봐요

'-자고'도 다른 인용 표현처럼 '-자고 했어요'나 '-자고 말했어요'의 형태로 말할 수 있어요.

2. 여러분은 친구들과 같이 하자고 약속한 것이 있어요? 다음과 같이 이야기해 보세요.

	언제?	무엇을 하자고 했어요?
1)	스무 살이 되면	여행을 가다
2)	졸업을 하면	
3)	취직을 하면	
4)		

스무 살이 되면 같이 여행을 가자고 했어요.

활동 1

기념일에 하는 일

1. 일 년 중 가장 특별한 날은 언제예요? 안나 씨와 유진 씨가 특별한 날에 대해 이야기해요. 다음을 잘 듣고 질문에 답하세요.

안나: 유진, 뭘 그렇게 열심히 보고 있어?

유진: 식당 좀 알아보고 있었어. 아, 잘됐다! 안나, 네 생각엔 여기 어때? 여자 친구한테 가자고 하면 좋아할까?

안나: 와, 분위기 좋다. 네 여자 친구도 좋아할 것 같은데? 그런데 무슨 특별한 날이야?

유진: 여자 친구하고 만난 지 곧 3년이 돼. 그래서 그날 여기에 가 볼까 싶어서.

안나: 만난 지 3년이나 되었다고? 벌써 그렇게 되었구나.

유진: 하하, 그러게. 그래서 올해는 좀 특별한 곳에 가서 기념하고 싶어.

1) 유진 씨와 안나 씨는 어떤 특별한 날에 대해 이야기하고 있어요?

2) 들은 내용과 같으면 ○, 다르면 × 표시를 하세요.

① 유진 씨는 특별한 날에 갈 식당을 찾고 있어요. (　　　)

② 안나 씨는 유진 씨에게 식당을 추천해 줬어요. (　　　)

③ 유진 씨는 여자 친구와 첫 데이트를 할 거예요. (　　　)

2. 연인이나 친구, 가족과 특별한 날을 기념해 본 경험을 이야기해 보세요.

얼마 전에 저와 아내의 결혼기념일이었어요. 저희는 결혼한 지 2년이 됐어요. 그날 저희는 서로 선물을 주고받았어요. 그리고 맛있는 저녁을 같이 먹으면서 행복한 시간을 보냈어요.

1) 그날은 어떤 날이었어요?

2) 그날이 왜 중요해요?

3) 그날 무엇을 했어요?

이런 기념일도 있어요

1. 여러분의 나라에만 있는 기념일이 있어요? 다음을 읽고 질문에 답하세요.

우리가 자주 먹는 여러 가지 음식의 재료들은 어디에서 왔을까요? 바로 농업과 축산업, 수산업을 통해 얻은 것입니다. 이렇게 농업, 축산업, 수산업 분야에서 일하는 사람들의 노력을 생각하고 응원하는 날이 있습니다. 삼겹살데이, 삼치·참치데이, 오이데이, 구구데이, 가래떡데이 같은 날들입니다. 이런 기념일에는 농업, 축산업, 수산업을 통해 얻은 음식을 먹습니다.

1) 이런 기념일에는 어떤 일을 할까요?

2) 다음 기념일은 몇 월 며칠일까요?

삼겹살데이	오이데이	가래떡데이
3월 3일		

2. 여러분도 재미있는 기념일을 만들어 보세요. 어떤 기념일을 만들면 좋을까요?

<만들고 싶은 기념일>

<기념일에 하는 일>

이렇게 말해요

생일 축하해. 이거 너한테 잘 어울릴 거 같아서.

이거 내가 정말 가지고 싶었던 건데. 역시 넌 **센스가 있어**.

자기 점검

◇ 기념일의 의미를 말할 수 있어요?

◇ 기념일에 하는 일을 말할 수 있어요?

어휘와 표현: 국경일/기념일 행사 문법: -기 위해서, -아야겠다/어야겠다
8
한글날을 기념하기 위해서
여러 가지 행사를 한다고 해
기념일 행사에 대해 설명할 수 있어요.

YouTube live

SEJONG INSTITUTE

세종학당
한글날 문화마당

10. 9.(금)
오후 3시 30분~4시 30분

공연 세종합창단 | 국가 대표 태권도 시범단

스트리밍 콘서트를 놓쳤다면?
www.iksi.or.kr 세종학당 "사이버 한국 문화 과정"에서 시청하기!

문화체육관광부

01
어떤 행사를 알리는
포스터예요?

02
여러분은 한글날 행사에
참가해 본 적이 있어요?

03
여러분의 나라에도 한글날과
비슷한 기념일이 있어요?

이야기를 하면서 알게 된 어휘

국경일/기념일 행사

1.

다음 어휘의 뜻을 알아볼까요? 여러분이 들어 본 어휘에 ∨ 표시를 해 보세요.

한국의 국경일

- ☐ 3·1절
- ☐ 광복절
- ☐ 한글날
- ☐ 제헌절
- ☐ 개천절

- ☐ 참가를 신청하다
- ☐ 신청서를 작성하다/제출하다
- ☐ 행사에 참가하다
- ☐ 대회에 나가다
- ☐ 예선을 통과하다
- ☐ 본선에 올라가다/진출하다
- ☐ 1등을/1위를 하다
- ☐ 상을 타다/받다
- ☐ 상금을/기념품을 받다/주다

2.

1번을 참고하여, 그림을 보고 행사에 참가해서 한 일을 써 보세요.

1) 말하기 대회에 참가하려고 신청서를 작성했어요.

2) ....

3) ....

4) ....

3.

위에서 배운 어휘를 활용하여 행사에 참가한 경험을 이야기해 보세요.

- 한국어 말하기 대회
- 케이팝(K-POP) 춤·노래 대회
- 그림 그리기 대회
- 글쓰기 대회
- ?

저는 한국어 말하기 대회에 나간 적이 있어요.
본선에는 올라갔지만 상은 못 탔어요.

-기 위해서

어떤 상황이나 행동이 발생하게 된 목적, 의도를 나타낼 때 사용한다.

가: 어떻게 하면 한국어를 더 잘할 수 있을까요?

나: 저는 한국어 실력을 늘리기 위해서 매일 한국 드라마를 보고 있어요.

가: 민수 씨는 항상 건강해 보이는데 어떻게 한 거예요?

나: 저는 건강을 유지하기 위해서 아침마다 운동을 하고 있어요.

한글날을 기념하기 위해 준비한 행사에 와 주셔서 대단히 감사합니다.

1.

다음에서 알맞은 것을 골라 대화를 완성해 보세요.

왜 한국에 유학을 가려고 해요?

한국 역사를 배우기 위해서 유학을 가려고 해요.

- 배우다
- 생일을 축하하다
- 건강을 유지하다
- 환경을 보호하다

1) 가: 마크 씨! 우리가 마크 씨의 .... 케이크를 준비했어요!
   나: 와, 오늘이 제 생일인 걸 어떻게 알았어요? 정말 고마워요.

2) 가: 환경의 날에는 어떤 행사를 해요?
   나: .... 여러 가지 활동을 한 사람에게 상을 준다고 해요.

3) 가: .... 특별히 하는 일이 있어요?
   나: 저는 매일 아침에 운동을 해요.

2.

다음과 같이 이야기해 보세요.

저는 즐겁게 생활하기 위해서 일주일에 하루는 하고 싶은 것을 해요.

- 즐겁게 생활하다
- 한국어를 잘하다
- 친구들과 잘 지내다
- ?

⊕ 더 알아봐요

명사와 함께 '을/를 위해서'의 형태로 사용할 수도 있어요.

- 건강을 위해서 매일 30분씩 달리기를 해요.
- 취직한 친구를 위해서 선물을 샀어요.

-아야겠다 / 어야겠다

어떤 행위를 할 것이라는
강한 의지를 나타낼 때 사용한다.

가 : 저기 새로 생긴 식당 있지? 거기 어제 갔는데 정말 맛있었어.
나 : 나도 한번 가 봐야겠다.

가 : 다음 달에 노래 대회를 한다고 해요. 미나 씨, 한번 나가 보세요.
나 : 그래요? 어떻게 신청하는지 알아봐야겠어요.

주말에는 대청소를 해야겠습니다.

1.

그림을 보고 어떤 행동을 해야겠다고 생각할지 문장을 완성해 보세요.

1) 

2) 

3)

4) 

5) 

너무 더우니까
시원한 음료수를 마셔야겠어요.

2) 휴가니까 ....

3) 어제 늦게까지 일했으니까 ....

4) 배가 아프니까 ....

5) 책상이 지저분하니까 ....

2.

여러분은 한국어 실력을 높이기 위해 어떤 결심을 할 거예요?
다음과 같이 이야기해 보세요.

매일 한국어 단어를 5개씩 외워야겠어요.

한국인 친구와 하루에 5분씩
통화해야겠어요.

활동 1

한글날 행사 참가하기

1.

세종학당 행사에 참가해 본 적이 있어요? 안나 씨와 유진 씨가 한글날 행사에 대해 이야기해요. 다음을 잘 듣고 질문에 답하세요.

01

안나: 다음 달에 세종학당에서 한글날을 기념하기 위해서 여러 종류의 행사를 한다고 해.

유진: 아, 나도 포스터를 봤어. 그런데 자세한 내용은 못 봤는데 무슨 행사가 있어?

안나: 한글로 편지 쓰기 대회도 하고, 한국 음식 만들기도 하는 것 같아.

유진: 재미있겠다! 너는 한글날 행사에 참가할 거야?

안나: 응. 한글 편지 쓰기 대회에 나갈까 해. 대회에 참가한 모든 사람들한테 기념품도 준다고 해.

유진: 우아, 참가만 하면 기념품을 준다고? 그럼 나도 참가해야겠다!

1) 다음 달에 세종학당에서는 어떤 행사를 해요?

2) 두 사람은 무슨 행사에 참가하려고 해요?

2.

특별한 대회나 행사에 참가한 경험을 이야기해 보세요.

어떤 대회에 참가해 봤어요?

저는 케이팝(K-POP) 부르기 대회에 나간 적이 있어요.

그 대회에서 뭘 했어요?

		나	친구
어떤 대회/행사에 참가했어요?	케이팝(K-POP) 부르기 대회		
그 대회/행사에서 뭘 했어요?			
그 대회/행사에 참가한 소감은 어땠어요?			

발음

음료수
[음뇨수]

받침 'ㅇ, ㅁ' 다음에 'ㄹ'이 오면 'ㄹ'은 [ㄴ]으로 발음해요.

듣고 따라 해 보세요.

- 시원한 **음료수를** 마셔야겠어요.
- **한국어능력시험**
- **강릉에** 한번 가 보세요.

한글날 행사 참가 후기

1. 자신의 경험을 한국어로 다른 사람과 나눠 본 적이 있어요? 다음을 읽고 질문에 답하세요.

나의 일상 >

세종학당 한글날 행사에 다녀왔어요!

댓글 2

joayo_kr
09.23. 17:20 조회 101

주말에 한글날 행사에 다녀왔어요. 한글 편지 쓰기 대회는 오후 2시부터 시작인데 11시쯤 행사장에 도착해서 다른 행사들을 먼저 구경했어요. 한글을 이용해서 디자인한 여러 가지 물건을 팔고 있었는데 사고 싶은 것이 정말 많았어요. 한복 체험 코너도 있었는데, 저는 한복을 전에 입어 본 적이 있어서 한복 체험은 하지 않았어요. 그리고 한국 음식 체험 코너도 있어서 미리 신청한 사람은 음식을 직접 만들어 볼 수도 있었어요. 저는 거기에서 팔고 있는 음식을 사 먹었어요. 제가 좋아하는 떡볶이하고 김밥을 먹었어요.

2시가 되어서 한글 편지 쓰기 대회에 갔어요. 주제가 어려울 것 같아서 좀 긴장이 되었는데 다행히 어렵지 않은 주제가 나왔어요. '내가 가장 보고 싶은 한국 사람에게 편지 쓰기'가 주제라서 저는 작년에 한국에 어학연수 갔을 때 만난 한국 친구에게 편지를 썼어요. 사실 제가 글씨를 잘 못 쓰는 편이라 좀 부끄러웠지만 그래도 열심히 썼어요. 대회 결과는 일주일 후에 알려 준다고 해요. 상을 탈 자신은 없지만 그래도 조금 기대가 돼요. 다양한 행사가 준비되어 있어서 정말 재미있었어요. 내년 행사에도 또 참가해야겠어요!

안녕
저도 참가했어요! 정말 재미있었어요!
09.23. 17:25 답글쓰기

hahaha
꼭 상을 타면 좋겠네요~~
09.23. 20:48 답글쓰기

1) 무슨 행사가 열렸어요?

2) 이 사람은 행사에 참가해서 무엇을 했어요?

2. 여러분도 이 사람이 쓴 글에 댓글을 써 보세요.

이렇게 말해요

미노 씨, 한국어 말하기 대회에서 1등 한 것 축하해요.

고마워요. 상금도 받았으니까 제가 **한턱낼게요!**

자기 점검

◇ 행사에 참가한 경험을 말할 수 있어요?

◇ 기념일 행사에 대해 설명할 수 있어요?

9

비가 오면 오히려 기분이 좋아지는데요

날씨에 따라 바뀌는 기분이나 감정을 표현할 수 있어요.

01
여러분 나라의 날씨는 어떤 특징이 있어요?

02
이 사람은 기분이 어때 보여요? 왜 그런 것 같아요?

03
비가 오거나 흐릴 때 여러분은 기분이 어때요?

이야기를 하면서 알게 된 어휘

날씨와 감정

1.

다음 어휘의 뜻을 알아볼까요? 여러분이 들어 본 어휘에 ∨ 표시를 해 보세요.

- ☐ 한여름/한겨울
- ☐ 무더위
- ☐ 장마
- ☐ 태풍
- ☐ 화창하다
- ☐ 푹푹 찌다
- ☐ 선선하다
- ☐ 포근하다
- ☐ 우중충하다

- ☐ 우울하다
- ☐ 짜증 나다
- ☐ 답답하다
- ☐ 마음이 편안하다
- ☐ 마음이 가볍다
- ☐ 기분이 가라앉다

2.

1번을 참고하여 그림을 보고 날씨에 어울리는 어휘를 써 보세요.

1)	2)	3)
화창해요.		
포근해요.		
마음이 가벼워요.		

3.

위에서 배운 어휘를 활용하여 날씨와 기분에 대해 이야기해 보세요.

1)

2)

3)

4)

저는 화창한 날에 마음이 가볍고 즐거워요.
그런 날에는 밖에 나가서 걷고 싶어요.

문법 1

-아지다/어지다

시간이 지나면서 어떤 상태가 조금씩 변화하는 과정을 나타낼 때 사용한다.

가: 오늘 기분이 좋아 보이네요.

나: 네. 날씨가 좋은 날 운동하면 기분이 상쾌해져요.

가: 비행기가 두 시간 정도 늦게 도착한다고 해요.

나: 그렇게 늦어지는 걸 보니까 날씨가 안 좋은가 봐요.

저는 좋아하는 가수의 노래를 들으면 행복해집니다.

1. 그림을 보고 문장을 써 보세요.

 → 

음악을 들어서 기분이 좋아졌어요.

1)  → 

손을 씻어서 ....

2)  → 

공부를 해서 한국어 실력이 ....

3)  → 

집 근처에 나무가 ....

4)  → 

오늘은 날씨가 ....

2. 여러분은 5년 전과 지금 어떻게 달라졌어요? 다음과 같이 이야기해 보세요.

저는 5년 전에는 한국 친구가 거의 없었는데 지금은 한국 친구가 많아졌어요.

- 한국 친구가 많다
- 건강하다
- 한국어 실력이 좋다
- ?

-는/(으)ㄴ 대신에

어떤 행위나 상태를 다른 것으로 대체할 때 사용한다.

가: 오늘 날씨가 너무 흐린 거 같아요.
나: 날씨가 흐린 대신에 시원해서 좋네요.

가: 아침 먹었어?
나: 아침에 시간이 없어서 밥을 먹는 대신에 우유 한 잔 마셨어.

주말에 도서관에 가는 대신에 카페에서 공부했습니다.

1. 다음에서 알맞은 것을 골라 문장을 완성해 보세요.

- 밥을 먹다
- 술을 마시다
- 물건 값이 비싸다
- 구두를 신다
- 노래를 못하다

백화점은 물건 값이 비싼 대신에 품질이 좋아요.

1) 제 동생은 .... 춤을 잘 춰요.

2) 오늘 여기저기 갈 곳이 많아서 ....
운동화를 신는 것이 좋겠어요.

3) 운전해야 하니까 .... 커피나 한잔해요.

4) 배가 아파서 .... 수프를 먹었어요.

2. 여러분은 이런 상황에서 어떻게 할 거예요? 다음과 같이 이야기해 보세요.

- 지금 비가 많이 와요.
- 오늘은 마음이 무거워요.
- ?

지금 비가 많이 와서 산책하는 대신에 집에서 텔레비전을 보려고 해요.

날씨와 감정 변화

1\. 날씨에 영향을 받는 편이에요? 마리 씨와 재민 씨가 날씨와 감정 변화에 대해 이야기해요. 다음을 잘 듣고 질문에 답하세요.

마리: 오늘도 비가 오네요. 이번 주는 계속 날씨가 안 좋네요.

재민: 마리 씨는 비 오는 날씨를 별로 안 좋아하나 보네요.

마리: 네. 저는 비가 오면 기분이 우울해져요.

재민: 그래요? 전 비가 오면 오히려 기분이 좋아지는데요.

마리: 부럽네요. 저는 오늘처럼 기분이 가라앉는 날에는 밖에 나가는 대신 집에 가만히 있고 싶어요.

재민: 그러지 말고 지금 저랑 같이 밖에 나가 보는 게 어때요? 빗소리를 들으면서 걸으면 기분이 좋아질 거예요.

1) 두 사람은 무슨 이야기를 하고 있어요?

2) 들은 내용과 같으면 ○, 다르면 × 표시를 하세요.

① 이번 주는 계속 날씨가 안 좋아요. ( )

② 마리 씨는 비가 오면 기분이 가라앉아요. ( )

③ 재민 씨는 비 오는 날씨를 별로 안 좋아해요. ( )

2\. 날씨와 기분에 대해 이야기해 보세요.

1) 어떤 날씨를 좋아해요?

2) 어떤 날씨를 안 좋아해요?

저는 조금 흐린 날씨를 좋아해요. 그런 날에는 마음이 차분해지고 편안해져요. 날씨가 너무 좋으면 일에 집중이 안 되고 자꾸만 놀고 싶어져서요.

우울할 때 하는 일

1. 기분이 좋지 않을 때 뭘 해요? 다음을 읽고 질문에 답하세요.

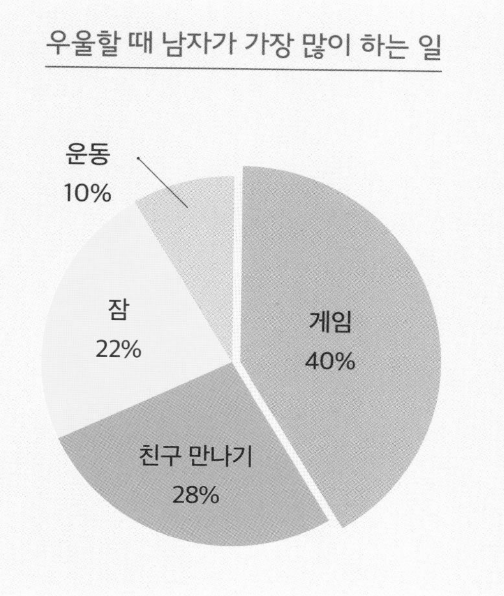

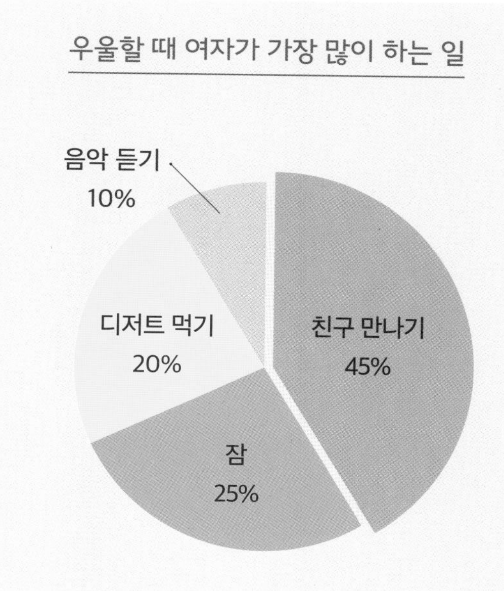

1) 우울할 때 남자와 여자가 가장 많이 하는 일이 뭐예요?

2) 여러분은 우울할 때 무엇을 해요?

2. 기분이 우울할 때 어떻게 하면 좋을까요? 다음과 같이 써 보세요.

자유 게시판 >

요즘 너무 우울해요.ㅠㅠ

happy_kr
09.27. 14:23 조회 99

요즘 비가 자주 와서 그런지 계속 우울해요. 이럴 때 어떻게 하면 좋을까요?

ㄴ 비가 온다고 집에만 있지 말고 나가서 친구를 만나 보세요.

ㄴ 맞아요. 친구랑 수다 떠는 게 최고예요.

ㄴ

이렇게 말해요

오늘 날씨가 흐려서 그런지 괜히 기분이 **꿀꿀해**.

그러게. 하루 종일 어두컴컴하니까 아무것도 하고 싶지 않네.

자기 점검

◇ 날씨에 따라 바뀌는 기분이나 감정을 표현할 수 있어요?

◇ 우울할 때 하면 좋은 일을 제안할 수 있어요?

10

오늘은 일찍 들어가도록 하세요

증상을 설명하고 조언을 할 수 있어요.

01
여러분은 최근에 병원에 간 적이 있어요?

02
병원에 왜 갔어요?

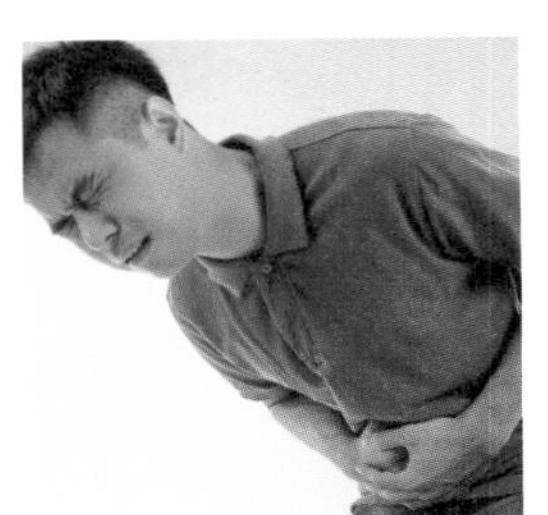

03
여러분은 아플 때 어떻게 해요?

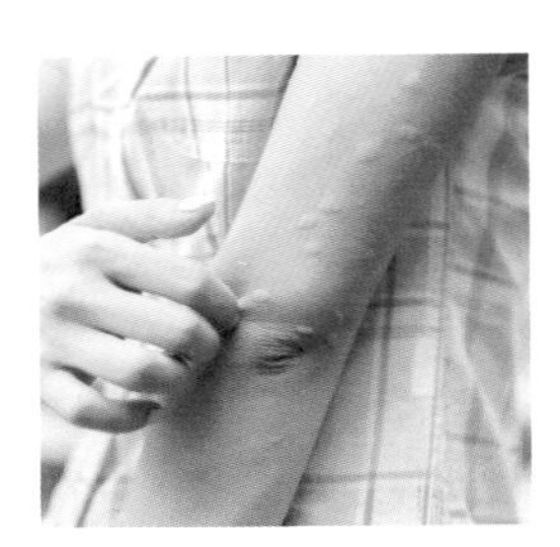
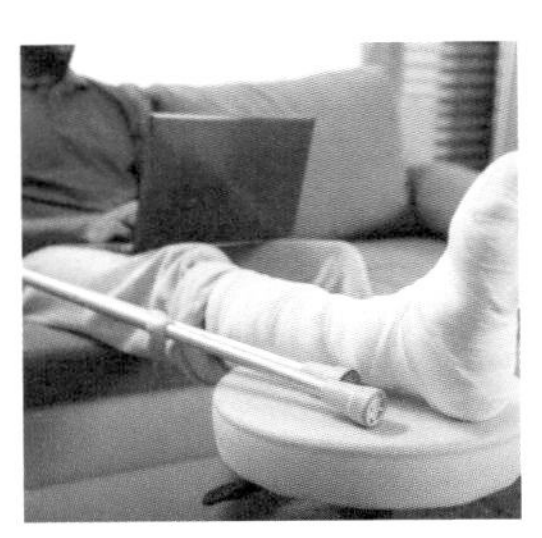
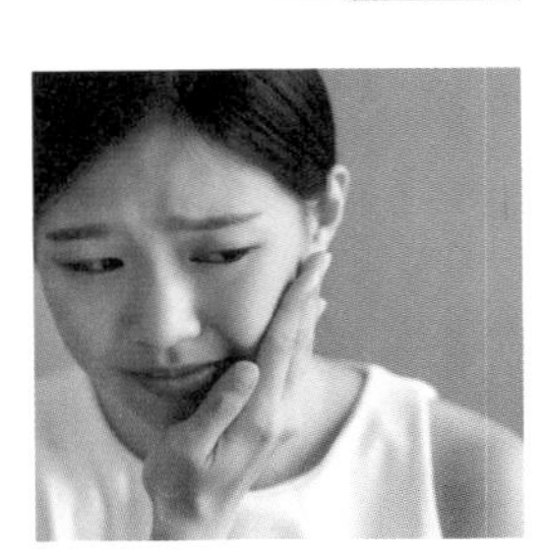

이야기를 하면서 알게 된 어휘

증상 및 치료

1. 다음 어휘의 뜻을 알아볼까요? 여러분이 들어 본 어휘에 ∨ 표시를 해 보세요.

- ☐ 열이 나다/심하다
- ☐ 배탈이 나다
- ☐ 충치가 생기다
- ☐ 연고를/파스를 바르다
- ☐ 기침을/재채기를 하다
- ☐ 눈이 충혈되다
- ☐ 피부가 가렵다
- ☐ 냉찜질을/온찜질을 하다
- ☐ 목이 붓다
- ☐ 두통이 생기다
- ☐ 손목을/발목을 삐다
- ☐ 붕대를 감다

2. 1번을 참고하여 그림이 나타내는 상황을 써 보세요.

1) 배탈이 났어요.

2) ....

3) ....

4) ....

3. 위에서 배운 어휘를 활용하여 이런 증상이 있을 때 어떻게 하는지 이야기해 보세요.

저는 목이 부으면 따뜻한 물을 자주 마셔요.

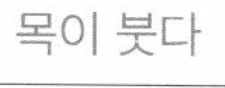

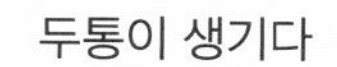

배탈이 나다

?

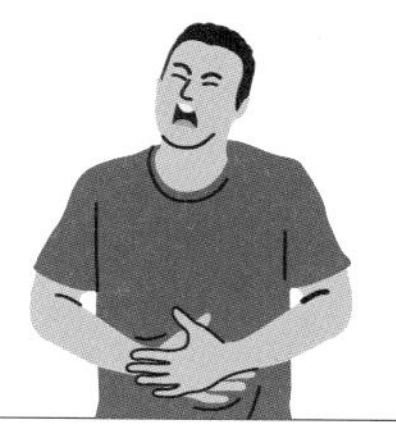

-도록 하다

다른 사람에게 어떤 행위를 시키거나 허락할 때 사용한다.

가: 감기에 걸려서 목이 아파요.
나: 푹 쉬고 따뜻한 물을 자주 마시도록 하세요.

가: 오늘 늦어서 죄송합니다.
나: 내일은 일찍 오도록 하세요.

앞에 앉은 사람부터 순서대로 나가도록 하십시오.

1. 다음과 같이 대화를 완성해 보세요.

이가 아파서 잠을 못 잤어요.
그럼 치과에 가 보도록 하세요.

1) 가: 의사 선생님, 밤에 잠이 안 와요.
나: ....

2) 가: 선배, 밥을 적게 먹었는데도 소화가 잘 안 되네요.
나: ....

3) 가: 어떻게 하면 한국어를 더 잘할 수 있어요?
나: ....

4) 가: 친구와 싸운 지 일주일이 지났는데 아직 말도 안 하고 있어요.
나: 그럴 때는 용기를 내서 ....

⊕ 더 알아봐요

'-도록'은 행위의 목적을 나타낼 때 사용하기도 해요.

- 노약자가 앉을 수 있도록 자리를 양보해 주십시오.
- 실수하지 않도록 최선을 다해 연습하고 있어요.

2. 교실에서 지켜야 할 규칙은 뭐가 있을까요? 친구들과 의논해서 규칙을 만들고 이야기해 보세요.

◇ 즐거운 교실을 위해 지켜야 할 규칙 ◇

1) 수업 시간에 한국어로 말하도록 하세요.
2) 먼저 웃으면서 인사하도록 하세요.
3) ....
4) ....
5) ....
6) ....

-아야/어야

앞의 내용이 뒤에 오는 내용의 필수 조건임을 나타낼 때 사용한다.

가: 요즘 아침에 일찍 일어나기가 힘들어요.

나: 일찍 자야 일찍 일어날 수 있어요.

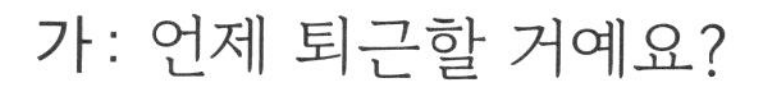

가: 언제 퇴근할 거예요?

나: 오늘 일을 다 끝내야 퇴근할 수 있어요.

감기는 잘 쉬어야 빨리 낫습니다.

1. 그림을 보고 문장을 완성해 보세요.

1) 날씨가 좋아야 등산을 갈 수 있을 거예요.

2) .... 기차를 놓치지 않을 거예요.

3) .... 해외여행을 갈 수 있어요.

4) .... 옷을 바꿀 수 있어요.

5) .... 건강에 좋아요.

2. 아래의 일들을 하려면 어떻게 해야 해요? 다음과 같이 이야기해 보세요.

- 좋은 선생님이 되다
- 좋은 친구를 사귀다
- 행복해지다
- ?

좋은 선생님이 되려면 어떻게 해야 해요?

학생들의 이야기를 잘 들어 줘야 좋은 선생님이 될 수 있어요.

활동 1

아픈 증상

1\. 여러분은 감기에 걸리면 어디가 많이 아파요? 재민 씨가 직장 상사에게 자신의 증상을 이야기해요. 다음을 잘 듣고 질문에 답하세요.

재민: 부장님, 거래 회사에 메일 보내는 건 언제까지 하면 될까요?

부장님: 내일 오전까지요. 그런데 아직 몸이 많이 안 좋아 보이네요.

재민: 병원에 다녀와서 지금은 좀 괜찮아요. 열은 거의 내렸는데 아직 기침을 좀 해요.

부장님: 음. 그러지 말고 퇴근 시간도 얼마 안 남았는데 오늘은 먼저 들어가 쉬는 게 어때요? 쉬어야 빨리 나을 거예요.

재민: 그래도 괜찮을까요? 아직 오늘 일을 마무리하지 못했는데⋯.

부장님: 걱정하지 말고 오늘은 일찍 들어가도록 하세요.

1) 두 사람은 무슨 관계예요?

2) 부장님은 재민 씨에게 왜 퇴근하라고 했어요?

2\. 여러분은 건강과 관련된 어떤 고민이 있어요? 다음과 같이 친구에게 말하고 친구의 조언을 들어 보세요.

> 나는 감기에 자주 걸려서 걱정이야. 지난주에도 감기 때문에 병원에 다녀왔어.

> 체력이 약해서 그런 거 같아. 평소에 운동을 많이 해서 몸을 건강하게 만드는 게 중요해. 매일 조금씩 운동하는 습관을 기르도록 해.

	건강 관련 고민	조언
1)	감기에 자주 걸리다	운동하는 습관을 기르다
2)		
3)		

발음

거의 [거의/거이]

단어에서 둘째 음절로 오는 '의'는 [의] 또는 [이]로 발음할 수 있어요.

듣고 따라 해 보세요.

- 열은 **거의** 내렸어요.
- 환불 **유의** 사항은 다음과 같아요.
- 세종학당에 **문의해** 보세요.

생활 습관

1. 건강에 관심이 많아요? 다음을 읽고 질문에 답하세요.

1) 건강을 지키기 위한 생활 습관으로 어떤 것이 있어요?

2) 이외에도 건강을 위해 어떤 습관을 가지면 좋을까요?

2. 여러분만의 건강 비결을 알려 주세요.

1) ....

2) ....

3) ....

4) ....

이렇게 말해요

어제 잘 잤어요?

네. 피곤해서 그런지 **꿀잠** 잤어요.

자기 점검

◇ 증상을 설명할 수 있어요?

◇ 건강한 생활 습관을 조언할 수 있어요?

어휘와 표현: 여가 활동의 장점 문법: -다 보면, -더라고요

11

주말에는 집에서 쉬는 게 좋더라고요

여가 활동의 장점을 말할 수 있어요.

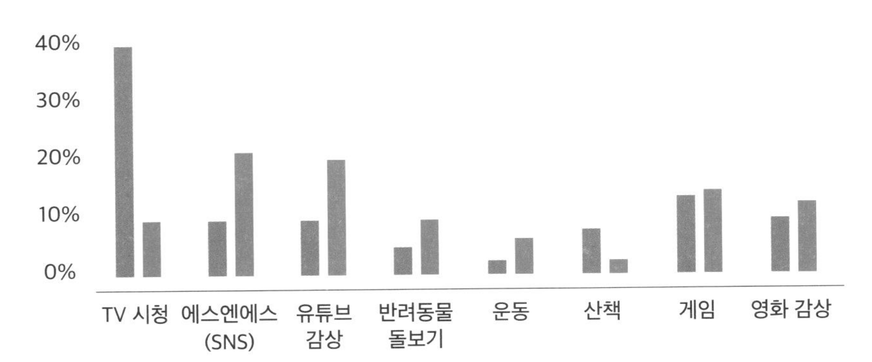

01
무엇에 대해 조사했어요?

02
사람들이 주로 하는 여가 활동은 어떻게 달라졌어요?

03
여러분은 시간이 있을 때 어떤 활동을 해요?

이야기를 하면서 알게 된 어휘

여가 활동의 장점

1.

다음 어휘의 뜻을 알아볼까요? 여러분이 들어 본 어휘에 ∨ 표시를 해 보세요.

- ☐ 스트레스가 풀리다
- ☐ 일상에서 벗어나다
- ☐ 쓸데없는 생각이 사라지다
- ☐ 기분 전환이 되다
- ☐ 자기 계발을 하다
- ☐ 뿌듯한 기분이 들다
- ☐ 생활에 활기가 생기다
- ☐ 새로운 사람을 만나다
- ☐ 성취감을 느끼다

2.

1번을 참고하여 다음 그림의 활동이 좋은 점을 써 보세요.

1) 텔레비전을 보면 스트레스가 풀려요.

2) ....

3) ....

4) ....

3.

위에서 배운 어휘를 활용하여 사람들에게 여가 활동을 추천해 보세요.

머리가 복잡하고 생각이 많을 때 가벼운 산책을 해 보면 어때요? 쓸데없는 생각이 사라져요.

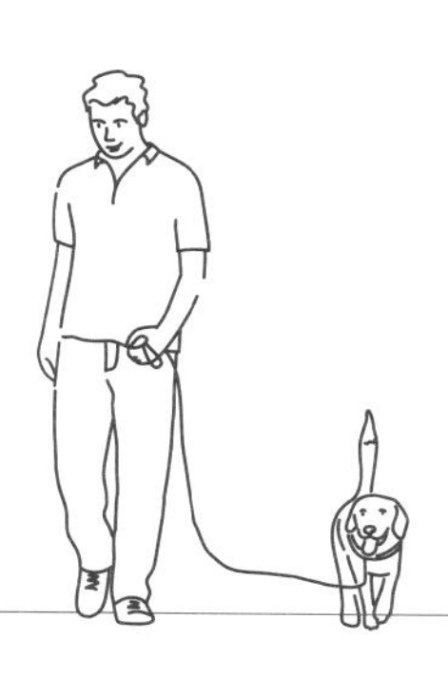

- 머리가 복잡하고 생각이 많은 사람
- 자기 계발을 하고 싶은 사람
- 여러 사람과 만나는 것을 좋아하는 사람
- ?

문법 1

-다 보면

어떤 행동을 하는 과정 중에 새로운 것을 깨닫거나 새로운 상태가 됨을 나타낼 때 사용한다.

가: 요즘 빵 만들기에 푹 빠졌어요. 빵을 만들다 보면 시간이 금방 가요.
나: 그렇게 재미있어요? 저도 한번 배워 보고 싶네요.

가: 일이 어렵지 않으니까 하다 보면 금방 배울 수 있을 거예요.
나: 네. 열심히 하겠습니다.

게임을 하다 보면 스트레스가 풀립니다.

1. 다음에서 알맞은 것을 골라 대화를 완성해 보세요.

한국어 발음을 잘하고 싶은데 어렵네요.
연습하다 보면 점점 좋아질 거예요.

연습하다	다니다	배우다	읽다	듣다

1) 가: 요리를 배우기 시작한 지 두 달이 되었는데 아직 잘 못해서 속상해요.
   나: 계속 .... 잘하게 될 거예요.

2) 가: 조용한 노래를 .... 마음이 편안해져서 좋아요.
   나: 맞아요. 저도 시끄러운 노래보다 이런 노래가 좋아요.

3) 가: 주노 씨는 책 읽는 걸 좋아하나 봐요.
   나: 네. 아주 좋아해요. 책을 .... 시간 가는 줄 몰라요.

4) 가: 회사를 .... 너무 힘들어서 그만두고 싶을 때가 있어요.
   나: 스트레스가 심할 때는 저도 그런 생각을 해요.

⊕ 더 알아봐요

'-다 보니까'를 사용하면 어떤 행동을 하는 중에 새로운 것을 깨닫거나 새로운 상태가 되었다는 과거의 의미를 나타낼 수 있어요.

- 재미로 하다 보니까 요리 실력이 많이 늘었어요.

2. 이런 일들을 꾸준히 하다 보면 어떻게 될까요? 다음과 같이 이야기해 보세요.

- 한국 노래를 자주 듣다
- 운동을 규칙적으로 하다
- 일기를 매일 쓰다
- ?

한국 노래를 자주 듣다 보면 듣기 실력이 좋아질 것 같아요.

문법 2

-더라고요

과거에 직접 보거나 경험하여 알게 된 사실을 회상하여 말할 때 사용한다.

가: 혹시 주노 씨도 이 책 읽어 봤어요? 요즘 인기가 많더라고요.

나: 읽어 봤는데 저는 별로 재미없더라고요.

가: 오늘도 카페에서 공부할 거야?

나: 응. 나는 도서관보다 카페가 집중이 잘 되더라고.

어제 백화점에 갔는데 세일 기간이라 사람들이 많더라고요.

1. 그림을 보고 대화를 완성해 보세요.

등산을 가 보니까 어땠어요?

생각보다 너무 힘들더라고요.

1) 

가: 요즘 이 영화가 인기 있다고 해요. 혹시 봤어요?

나: 네. 지난 주말에 봤는데 ....

2) 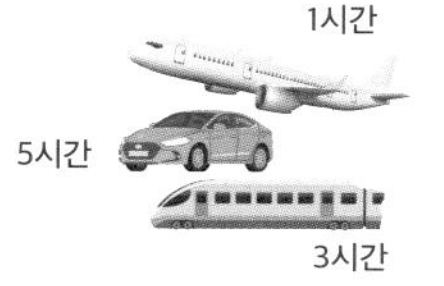

가: 부산까지 오래 걸렸지요?

나: 아니요. 비행기를 타니까 ....

3) 

가: 회사 앞에 새로 생긴 식당 어땠어요?

나: 음식이 ....

4) 

가: 수지 씨, 요가 해 보니까 어땠어요?

나: ....

2. 여러분은 새로운 것을 해 본 적이 있어요? 다음과 같이 이야기해 보세요.

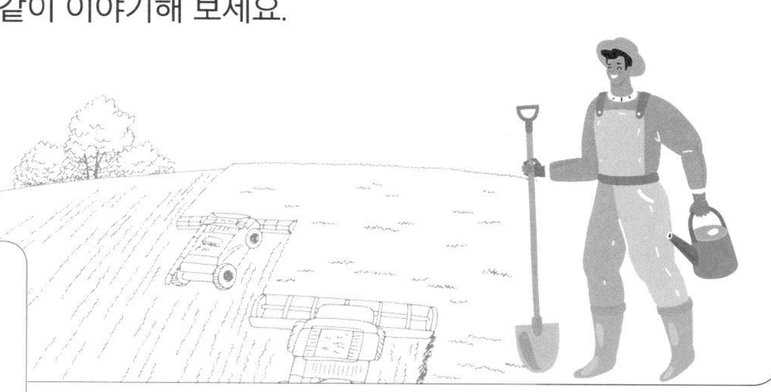

저는 방학에 시골에서 한 달을 살아 본 적이 있는데 생각보다 재미있더라고요.

활동 1

여가 활동의 좋은 점

1.

시간이 있을 때 주로 뭘 해요? 마리 씨와 재민 씨가 여가 활동에 대해 이야기해요.
다음을 잘 듣고 질문에 답하세요.

01

마리: 재민 씨, 책상에 있는 그 그림 정말 멋지네요.

재민: 이거요? 요즘 주말에 그림을 배우는데 제가 직접 그린 거예요.

마리: 주말에 그림을 배우러 다녀요? 재민 씨는 주말에도 바쁘게 사네요. 저는 요즘 일이 많아서 주말에는 집에서 쉬는 게 좋더라고요.

재민: 쉬는 것도 좋은데 새로운 걸 배우다 보면 오히려 생활에 활기가 생기는 것 같더라고요. 그래서 시간이 있을 때 이것저것 배우는 걸 좋아해요.

마리: 그래요? 저도 예전에는 이것저것 배우러 다녔는데⋯. 다시 배울 것을 좀 찾아봐야겠어요.

재민: 네. 요즘 직장인을 위한 수업이 많으니까 재미있는 것을 한번 찾아보세요.

1) 재민 씨는 여가 활동을 해서 어떤 점이 좋다고 이야기했어요?

2) 들은 내용과 같으면 ○, 다르면 × 표시를 하세요.

① 재민 씨는 주말에 그림을 배우러 다녀요. (　　)

② 직장인을 위해 일을 가르쳐 주는 수업이 많아요. (　　)

③ 마리 씨는 주말에 집에서 쉬는 걸 좋아하지 않아요. (　　)

2.

주로 하는 여가 활동에 대해 이야기해 보세요.

시간이 있을 때 보통 뭘 해요?

저는 보통 게임을 해요.

그래요? ＿＿＿＿＿＿＿＿＿＿＿＿＿＿＿＿?

		나	친구
주로 어떤 여가 활동을 해요?	게임을 하다		
그 여가 활동을 하게 된 이유가 뭐예요?			
그 여가 활동의 좋은 점은 뭐예요?			

일일 체험 수업

1. 배우는 걸 좋아해요? 다음을 읽고 질문에 답하세요.

일일 체험 수업 안내 >

요가 수업, 들어 보고 신청하세요!

안녕하세요! 나마스테 요가입니다.
요가를 해 보고 싶은 분들을 위한 일일 체험 수업을 소개합니다.
특별한 준비물은 없고 그냥 편한 옷만 입고 오면 됩니다. 혼자 와도 좋고 친구와 같이 와도 좋습니다.
요가가 지루한 운동이라고 생각하는 분들도 있는데 한번 해 보면 재미있다고 느낄 겁니다!
60분 수업을 듣고 나면 몸과 마음이 건강해지는 기분이 들 거예요.

- 일시: 매주 토요일 오전 11시~오후 12시
- 수업료: 3만 원
- 신청 방법: 아래의 〈신청〉 버튼을 클릭하고 이름과 연락처, 체험을 원하는 날짜를 써서 신청서를 제출한 후, 수업료를 입금해 주세요.

나마스테 요가 / 서연동 요가원

확인

*요가 매트와 수건은 요가원에 있습니다.
문의: namasteyoga@korea-kr.kr

#요가 #일일_체험 #원데이_클래스

1) 무슨 수업에 대한 글이에요?

2) 이 수업을 신청하려면 무엇을 내야 해요?

2. 여러분이 선생님이 되어 일일 수업을 만들어 보세요.

내가 하는 일일 수업:

수업 소개:

이렇게 말해요

오늘 일 끝나고 뭐 해? 같이 저녁 먹자.

나 태권도 **학원 끊어서** 거기 가야 돼. 다음에 같이 먹자.

자기 점검

◇ 여가 활동의 장점을 말할 수 있어요?

◇ 다른 사람에게 여가 활동을 추천할 수 있어요?

어휘와 표현: 대중문화와 감상　　문법: -는다/ㄴ다/다, -(으)라고 하다

12

이 영화를 꼭 보라고 추천하고 싶다

대중문화를 감상하고 감상문을 쓸 수 있어요.

S 3A 12

올해의 한국 영화 흥행 순위

1위

2위

3위

4위

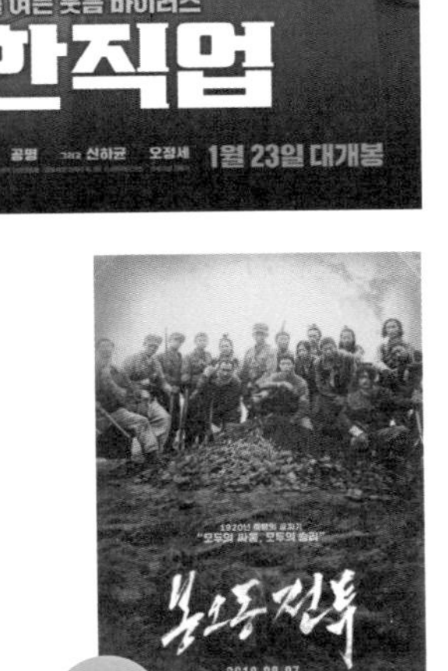

01
무엇에 대한 자료예요?

02
여러분은 어떤 영화를 보고 싶어요?

03
요즘 여러분 나라에서는 어떤
영화가 인기 있어요?

이야기를 하면서 알게 된 어휘

대중문화와 감상

1. 다음 어휘의 뜻을 알아볼까요? 여러분이 들어 본 어휘에 ∨ 표시를 해 보세요.

영화 · 드라마
- □ 액션 □ 멜로
- □ 코미디 □ 사극
- □ 공포

공연
- □ 콘서트 □ 연주회
- □ 뮤지컬
- □ 비보잉(B-boying)

음악
- □ 케이팝(K-POP) □ 대중가요
- □ 전통 음악 □ 클래식
- □ 힙합 □ 발라드

□ 감동적이다	□ 지루하다	□ 손에 땀을 쥐다	□ 연출이/연기가 뛰어나다
□ 인상적이다	□ 가슴이 찡하다	□ 기대에 못 미치다	□ 생생하다
□ 박진감 넘치다	□ 흥미진진하다	□ 조마조마하다	□ 뻔하다

2. 1번을 참고하여 다음 그림에 대한 감상을 써 보세요.

1) 박진감 넘쳐요.

2) ....

3) ....

4) ....

3. 위에서 배운 어휘를 활용하여 자주 보는 영화와 드라마의 장르를 이야기해 보세요.

저는 액션 영화를 좋아해요. 박진감 넘치는 액션을 보고 나면 스트레스가 확 풀려요.

문법 1

-는다/ㄴ다/다

뉴스 기사, 보고서 등 주로 격식을 갖춰 글을 쓸 때 사용한다.

세종매일신문

한국어를 배우는 사람이 늘어나고 있다

나는 책을 좋아한다.
그래서 시간이 날 때마다 책을 읽는다.

작년에 처음으로 한국에 갔다.
올해 휴가에도 한국에 갈 것이다.

한국의 여름은 습도가 높고 매우 덥다.

1. 그림을 보고 문장을 써 보세요.

남자와 여자는 춤을 춰요. → 남자와 여자는 춤을 춘다.

1) 
2) 
3)  
4) 
5) 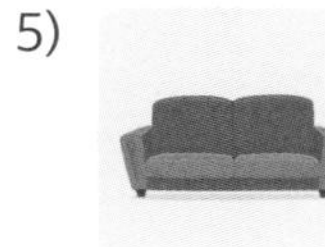

1) 여자는 노래를 들어요. → ....
2) 남자는 텔레비전을 봐요. → ....
3) 케이크가 맛있어요. → ....
4) 이 방에는 책이 많아요. → ....
5) 소파는 빨간색이에요. → ....

⊕ 더 알아봐요

명사+'(이)다'는 아래와 같이 써요.

- 내일은 휴일이다.
- 내가 사는 곳은 제주도다.
- 이 사람은 10년 전에 가수였다.

2. 다음을 읽고 '-아요/어요'를 '-는다/ㄴ다/다'로 바꿔 써 보세요.

저는 클래식 음악을 좋아해요. 클래식 음악을 들으면 마음이 편안해져요. 그래서 시간이 날 때면 클래식 공연장에 자주 가요. 클래식 공연은 텔레비전으로 보는 것보다 공연장에서 직접 보면 훨씬 더 감동적이에요. 이런 즐거움을 친구들과 함께 느낄 수 있으면 좋겠어요.

-(으)라고 하다

명령이나 권유 등의 내용을 전달할 때 사용한다.

가 : 이 영화 재미있을까?

나 : 마크가 진짜 재미있으니까 꼭 보라고 했어.

가 : 병원 갔다 왔어? 의사 선생님이 뭐라고 하셨어?

나 : 운동하지 말고 쉬라고 하셨어.

날씨가 추우니까 따뜻한 옷을 입으라고 했다.

1. 그림을 보고 문장을 완성해 보세요.

(장난감 좀 치워.)

엄마가 아이에게
장난감 좀 치우라고 했어요.

1) (물을 많이 드세요.) 의사가 환자에게 ....

2) (창문 좀 닫아.) 룸메이트가 나에게 ....

3) (물 좀 주세요.) 손님이 점원에게 ....

4) (책 좀 빌려줘.) 친구가 나에게 ....

2. 선생님이 뭐라고 하셨어요? 다음과 같이 이야기해 보세요.

내일까지 쓰기 숙제를 내라고 하셨어요.

- 내일까지 쓰기 숙제를 내세요.
- 집에서 교재 15쪽을 읽으세요.
- 지각하지 마세요.
- ?

⊕ 더 알아봐요

'-지 마세요'라고 말했을 때는 '-지 말라고 하다'로 말해요. 그리고 '-아/어 주세요'를 말했을 때, 제3자가 아니라 말하는 사람 자신에게 필요한 것을 부탁할 때는 '-아/어 주라고 하다'가 아니라 '-아/어 달라고 하다'라고 말해요.

- 의사 선생님이 커피를 마시지 말라고 했다.
- 친구가 책을 도서관에 반납해 달라고 부탁했다.

활동 1

새로 나온 연극 소개

1. 라디오 방송에서 연극에 대해 이야기해요. 다음을 잘 듣고 질문에 답하세요.

01

라디오 진행자: 배우님, 안녕하세요. 연극 무대에 서는 것은 오랜만인 것 같은데요?

배우: 네. 제가 최근에는 영화에 주로 출연을 했는데요. 한 5년 만인 것 같습니다. 그런데 원래 제가 연극으로 연기를 시작해서 그런지 고향에 돌아온 것 같은 기분이에요.

라디오 진행자: 그렇겠네요. 이번 연극 소개 좀 해 주시겠어요?

배우: 할아버지와 손자의 이야기인데요. 여름 방학을 할아버지 집에서 보내게 된 손자가 겪는 시골 체험기라고 할 수 있겠네요. 도시 아이가 낯선 시골에서 생활하는 모습을 보면 귀엽기도 하고 재미있으실 것 같아요. 그리고 시골 생활을 하면서 할아버지와 손자가 서로를 이해하려고 노력하는 모습도 나오는데요. 그런 부분에서는 감동도 느낄 수 있을 겁니다.

라디오 진행자: 기대가 많이 되네요. 언제부터 시작한다고 하셨죠?

배우: 다음 달 1일부터 대학로에서 합니다. 많이 보러 와 주세요!

1) 이 배우가 출연하는 연극은 어떤 내용이에요?

2) 들은 내용과 같으면 ○, 다르면 × 표시를 하세요.

① 이 배우는 연극에 처음 출연해요. ( )

② 이 배우는 최근에는 영화에 주로 나왔어요. ( )

③ 이 배우는 연기를 시작한 지 5년이 됐어요. ( )

2. 여러분은 어떤 공연에 관심이 있어요? 여러분이 보고 싶은 공연에 대해 이야기해 보세요.

발음

괴물 [괴물/궤물]

모음 'ㅚ'는 [ㅚ]로 발음하거나 [ㅞ]로 발음해요.

듣고 따라 해 보세요.

- 한국 영화 〈**괴물**〉을 좋아해요.
- **외국어** 공부에 관심이 많아요.
- **회의** 준비를 했어요.

영화 감상

1. 가장 재미있게 본 영화가 뭐예요? 다음 글을 읽고 질문에 답하세요.

괴물

액션/가족/드라마

감독 봉준호

출연 송강호, 변희봉, 박해일, 배두나, 고아성

★★★★★

<괴물>은 괴물에게 납치된 딸을 구하기 위해 주인공과 그의 가족이 괴물과 싸우는 액션 영화이다. 박진감 넘치는 액션을 즐길 수도 있고, 웃음과 눈물도 있는 좋은 영화이다. 영화를 보면서 가족들의 행복한 모습이 나올 때는 웃음이 났다. 하지만 괴물이 주인공의 딸을 납치한 후에는 조마조마한 마음으로 영화를 봤다. 평범한 가족들이 무서운 괴물과 싸우는 장면은 손에 땀을 쥐게 했다. 그리고 영화의 결말은 감동적이면서 슬프기도 했다. 한국 영화에 관심이 있다면 이 영화를 꼭 보라고 추천하고 싶다.

1) 이 영화에 대한 글을 쓴 사람의 감상으로 맞는 것을 모두 고르세요.

뻔하다 | 슬프다 | 웃기다 | 긴장되다 | 지루하다 | 감동적이다 | 박진감 넘치다

2) 읽은 내용과 같으면 ○, 다르면 × 표시를 하세요.

① 이 영화는 액션 영화예요. ( )

② 영화의 주인공 가족 모두가 괴물에게 납치됐어요. ( )

③ 이 영화는 괴물을 구하는 감동적인 이야기예요. ( )

2. 여러분이 본 영화나 드라마를 추천하는 글을 써 보세요.

제목 : ....

....

....

....

이렇게 말해요

〈괴물〉이라는 영화 본 적 있어요?

본 적 있어요. 진짜 **강추**예요. 이야기도 재미있고 연출도 정말 좋았어요.

자기 점검

◇ 대중문화에는 무엇이 있는지 말할 수 있어요?

◇ 대중문화를 감상하고 감상문을 쓸 수 있어요?

/ 듣기 지문

/ 모범 답안

/ 어휘와 표현 색인

/ 자료 출처

01 그동안 어떻게 지냈니?

활동 1 | 1번 | 18쪽

오랜만에 만난 사람들과 어떤 말을 해요? 안나 씨와 유진 씨가 오랜만에 만났어요. 다음을 잘 듣고 질문에 답하세요.

안나: 어머, 이게 누구야? 유진 아니니? 얼마 만이야. 그동안 어떻게 지냈니?
유진: 와, 정말 오랜만이야. 잘 지냈니? 난 고향에도 다녀오고 잘 지냈어. 안나 넌?
안나: 나도 잘 지냈어. 근데 너 건강해 보인다. 전보다 얼굴도 더 좋아 보이고.
유진: 아, 그래? 방학 때 쉬면서 여기저기 다녀서 그런가?
안나: 부럽다. 나도 방학 때 여행 가고 싶었는데, 일이 좀 많았어.
유진: 그랬구나. 오랜만에 보니 정말 반갑다.

02 요즘 좀 바쁘다고 해

활동 1 | 1번 | 26쪽

오랫동안 만나지 못한 친구의 근황을 알아요? 안나 씨와 유진 씨가 재민 씨의 소식에 대해 이야기해요. 다음을 잘 듣고 질문에 답하세요.

유진: 요즘 재민 씨 소식 들었어? 오래 못 본 것 같아.
안나: 회사에서 새로 일을 맡아서 요즘 좀 바쁘다고 해. 그리고 얼마 전에 한국에 출장도 다녀왔다고 했어.
유진: 그렇구나. 요새 많이 바쁜가 보네.
안나: 응. 안 그래도 유진이 네가 고향에서 돌아오면 만나고 싶다고 했는데 다음 주에 만나서 같이 밥 먹을까?
유진: 좋아. 고향에서 재민 씨 선물도 사 왔는데 그때 주면 되겠네.
안나: 그럼 내가 재민 씨한테 연락해 볼게.

03 이번에 이사를 할까 해요

활동 1 | 1번 | 34쪽

지금 사는 집은 어때요? 수지 씨와 주노 씨가 이사 갈 집에 대해 이야기해요. 다음을 잘 듣고 질문에 답하세요.

수지: 주노 씨, 이 주변에 괜찮은 집이 있어요? 이번에 이사를 할까 해서요.
주노: 왜 갑자기 이사를 하려고 해요? 기숙사 생활이 불편해요?
수지: 아니요. 혼자 살아 보고 싶어서요. 그리고 기숙사에서는 요리를 못 하니까요.
주노: 그렇군요. 혹시 원하는 집이 있어요?
수지: 다른 건 괜찮고 학교에서 많이 멀지만 않으면 돼요.
주노: 그럼 우리 집 근처는 어때요? 수지 씨 학교까지는 걸어서 10분밖에 안 걸려요. 주변 환경도 조용하고 마트가 가까워서 살기도 편하고요.

04 나는 거실 청소를 할 테니까 넌 주방 청소를 해 줘

활동 1 | 1번 | 42쪽

누구와 살아요? 누가 집안일을 많이 해요? 안나 씨와 마리 씨가 집안일에 대해 이야기해요. 다음을 잘 듣고 질문에 답하세요.

안나: 벌써 저녁 먹을 시간이네. 마리, 오늘 뭐 해 먹을까?
마리: 음. 청소부터 하고 나서 요리를 하는 게 어떨까? 거실이랑 주방만 간단하게 정리하면 될 거 같은데.
안나: 좋아. 그럼 나는 거실 청소를 할 테니까 넌 주방 청소를 해 줘.
마리: 알겠어. 주방은 청소할 것도 별로 없어서 금방 끝날 거 같아.
안나: 아, 쓰레기는 그대로 둬. 내가 거실 청소 끝내고 나서 버릴게.
마리: 응. 청소기는 내가 먼저 써도 되지?

05 환불하려면 영수증이 필요합니다

활동 1 | 1번 | 50쪽

옷을 교환해 본 적이 있어요? 주노 씨가 옷을 교환하러 옷 가게에 갔어요. 다음을 잘 듣고 질문에 답하세요.

직원: 어서 오세요. 무엇을 도와드릴까요?
주노: 어제 이 티셔츠를 사 갔는데 집에서 다시 입어 보니까 사이즈

가 좀 큰 것 같아서요. 한 사이즈 작은 걸로 바꿀 수 있을까요?
직원: 아, 그러세요? 잠깐만 기다려 주세요. (잠시 후에) 손님, 죄송하지만 이게 제일 작은 사이즈예요. 다른 디자인은 어떠세요?
주노: 전 이게 마음에 드는데⋯. 그럼 그냥 환불해 주세요.
직원: 네. 환불하려면 영수증이 필요합니다. 영수증을 좀 보여 주시겠어요?
주노: 잠깐만요. 여기 있어요.

06 새로 사려다가 수리해서 쓰고 있어요

활동 1	1번	58쪽

물건이 고장 나면 어떻게 해요? 수지 씨와 유진 씨가 고장 난 물건에 대해 이야기해요. 다음을 잘 듣고 질문에 답하세요.

수지: 어, 이게 왜 이러지? 화면이 또 안 나오네.
유진: 수지 씨, 노트북에 또 문제 있어요? 얼마 전에 수리했잖아요.
수지: 네. 새로 사려다가 수리해서 쓰고 있는데 또 고장이 났나 봐요.
유진: 그 노트북 언제 샀어요?
수지: 벌써 7년이나 됐어요. 이제는 화면도 잘 안 나오고 소리가 안 나올 때도 있어요. 이러다가 수리비가 더 들겠어요.
유진: 맞아요. 고쳐서 쓰는 것도 좋지만 그렇게 자주 고장이 나면 그냥 새로 사는 게 더 나아요.

07 여자 친구하고 만난 지 곧 3년이 돼

활동 1	1번	66쪽

일 년 중 가장 특별한 날은 언제예요? 안나 씨와 유진 씨가 특별한 날에 대해 이야기해요. 다음을 잘 듣고 질문에 답하세요.

안나: 유진, 뭘 그렇게 열심히 보고 있어?
유진: 식당 좀 알아보고 있었어. 아, 잘됐다! 안나, 네 생각엔 여기 어때? 여자 친구한테 가자고 하면 좋아할까?
안나: 와, 분위기 좋다. 네 여자 친구도 좋아할 것 같은데? 그런데 무슨 특별한 날이야?
유진: 여자 친구하고 만난 지 곧 3년이 돼. 그래서 그날 여기에 가 볼까 싶어서.
안나: 만난 지 3년이나 되었다고? 벌써 그렇게 되었구나.
유진: 하하, 그러게. 그래서 올해는 좀 특별한 곳에 가서 기념하고 싶어.

08 한글날을 기념하기 위해서 여러 가지 행사를 한다고 해

활동 1	1번	74쪽

세종학당 행사에 참가해 본 적이 있어요? 안나 씨와 유진 씨가 한글날 행사에 대해 이야기해요. 다음을 잘 듣고 질문에 답하세요.

안나: 다음 달에 세종학당에서 한글날을 기념하기 위해서 여러 종류의 행사를 한다고 해.
유진: 아, 나도 포스터를 봤어. 그런데 자세한 내용은 못 봤는데 무슨 행사가 있어?
안나: 한글로 편지 쓰기 대회도 하고, 한국 음식 만들기도 하는 것 같아.
유진: 재미있겠다! 너는 한글날 행사에 참가할 거야?
안나: 응. 한글 편지 쓰기 대회에 나갈까 해. 대회에 참가한 모든 사람들한테 기념품도 준다고 해.
유진: 우아, 참가만 하면 기념품을 준다고? 그럼 나도 참가해야겠다!

09 비가 오면 오히려 기분이 좋아지는데요

활동 1	1번	82쪽

날씨에 영향을 받는 편이에요? 마리 씨와 재민 씨가 날씨와 감정 변화에 대해 이야기해요. 다음을 잘 듣고 질문에 답하세요.

마리: 오늘도 비가 오네요. 이번 주는 계속 날씨가 안 좋네요.
재민: 마리 씨는 비 오는 날씨를 별로 안 좋아하나 보네요.
마리: 네. 저는 비가 오면 기분이 우울해져요.
재민: 그래요? 전 비가 오면 오히려 기분이 좋아지는데요.
마리: 부럽네요. 저는 오늘처럼 기분이 가라앉는 날에는 밖에 나가는 대신 집에 가만히 있고 싶어요.
재민: 그러지 말고 지금 저랑 같이 밖에 나가 보는 게 어때요? 빗소리를 들으면서 걸으면 기분이 좋아질 거예요.

10 오늘은 일찍 들어가도록 하세요

활동 1	1번	90쪽

여러분은 감기에 걸리면 어디가 많이 아파요? 재민 씨가 직장 상사에게 자신의 증상을 이야기해요. 다음을 잘 듣고 질문에 답하세요.

재민: 부장님, 거래 회사에 메일 보내는 건 언제까지 하면 될까요?
부장님: 내일 오전까지요. 그런데 아직 몸이 많이 안 좋아 보이네요.
재민: 병원에 다녀와서 지금은 좀 괜찮아요. 열은 거의 내렸는데 아직 기침을 좀 해요.
부장님: 음. 그러지 말고 퇴근 시간도 얼마 안 남았는데 오늘은 먼저 들어가 쉬는 게 어때요? 쉬어야 빨리 나을 거예요.
재민: 그래도 괜찮을까요? 아직 오늘 일을 마무리하지 못했는데⋯.
부장님: 걱정하지 말고 오늘은 일찍 들어가도록 하세요.

11 주말에는 집에서 쉬는 게 좋더라고요

활동 1	1번	98쪽

시간이 있을 때 주로 뭘 해요? 마리 씨와 재민 씨가 여가 활동에 대해 이야기해요. 다음을 잘 듣고 질문에 답하세요.

마리: 재민 씨, 책상에 있는 그 그림 정말 멋지네요.

재민: 이거요? 요즘 주말에 그림을 배우는데 제가 직접 그린 거예요.

마리: 주말에 그림을 배우러 다녀요? 재민 씨는 주말에도 바쁘게 사네요. 저는 요즘 일이 많아서 주말에는 집에서 쉬는 게 좋더라고요.

재민: 쉬는 것도 좋은데 새로운 걸 배우다 보면 오히려 생활에 활기가 생기는 것 같더라고요. 그래서 시간이 있을 때 이것저것 배우는 걸 좋아해요.

마리: 그래요? 저도 예전에는 이것저것 배우러 다녔는데…. 다시 배울 것을 좀 찾아봐야겠어요.

재민: 네. 요즘 직장인을 위한 수업이 많으니까 재미있는 것을 한번 찾아보세요.

12 이 영화를 꼭 보라고 추천하고 싶다

활동 1	1번	106쪽

라디오 방송에서 연극에 대해 이야기해요. 다음을 잘 듣고 질문에 답하세요.

라디오 진행자: 배우님, 안녕하세요. 연극 무대에 서는 것은 오랜만인 것 같은데요?

배우: 네. 제가 최근에는 영화에 주로 출연을 했는데요. 한 5년 만인 것 같습니다. 그런데 원래 제가 연극으로 연기를 시작해서 그런지 고향에 돌아간 것 같은 기분이에요.

라디오 진행자: 그렇겠네요. 이번 연극 소개 좀 해 주시겠어요?

배우: 할아버지와 손자의 이야기인데요. 여름 방학을 할아버지 집에서 보내게 된 손자가 겪는 시골 체험기라고 할 수 있겠네요. 도시 아이가 낯선 시골에서 생활하는 모습을 보면 귀엽기도 하고 재미있으실 것 같아요. 그리고 시골 생활을 하면서 할아버지와 손자가 서로를 이해하려고 노력하는 모습도 나오는데요. 그런 부분에서는 감동도 느낄 수 있을 겁니다.

라디오 진행자: 기대가 많이 되네요. 언제부터 시작한다고 하셨죠?

배우: 다음 달 1일부터 대학로에서 합니다. 많이 보러 와 주세요!

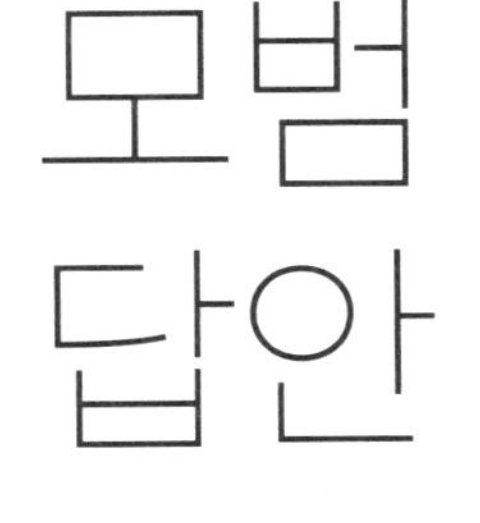

모범 답안 3A

01  그동안 어떻게 지냈니?

어휘와 표현	2번	15쪽

2) 한가하게 지내다 / 그저 그렇게 지내다 / 특별한 일 없이 지내다
3) 정신없이 지내다
4) 이곳저곳 다니다 / 여기저기 다니다
5) 이런저런 이야기를 하다

문법 1	1번	16쪽

1) 숙제 다 했니
2) 보자
3) 먹자
4) 아프니

문법 2	1번	17쪽

1) 피곤해 보여요
2) 넓어 보여요
3) 무서워 보여
4) 편안해 보여요

활동 1	1번	18쪽

1) 안부 인사를 해요. / 방학 때 한 일을 이야기해요.
2) ① × ② ○ ③ ×

활동 2	1번	19쪽

1) 여행, 취미 생활
2) 취업 준비

02 요즘 좀 바쁘다고 해

어휘와 표현	2번	23쪽

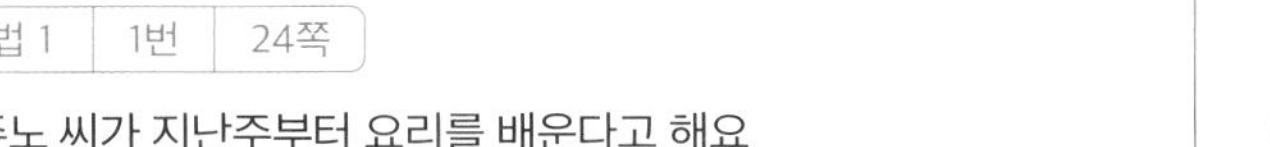

그리고 25살에 대학교를 졸업했어요. 26살에 일자리를 구해서 회사에서 근무해요. 30살에 여자 친구에게 청혼을 했어요. 31살에 아이를 낳았어요.

문법 1	1번	24쪽

1) 주노 씨가 지난주부터 요리를 배운다고 해요
2) 마리 씨가 요즘 회사에 일이 좀 많다고 해요
3) 안나 씨가 일자리를 구하는 게 쉽지 않다고 해요
4) 선생님께서 말하기 대회 신청은 내일까지 해야 한다고 하세요

문법 2	1번	25쪽

1) 시험이 많이 어려웠나 봐요
2) 사고가 났나 봐요
3) 몸이 안 좋은가 봐요

활동 1	1번	26쪽

1) 회사 일 때문에 요즘 바빠요.
2) ① × ② ○ ③ ○

활동 2	1번	27쪽

1) ① 안나 ② 재민 ③ 유진
2) 유진과 재민 씨와 같이 만나서 식사를 하고 싶어서 이메일을 썼어요.

03 이번에 이사를 할까 해요

어휘와 표현	2번	31쪽

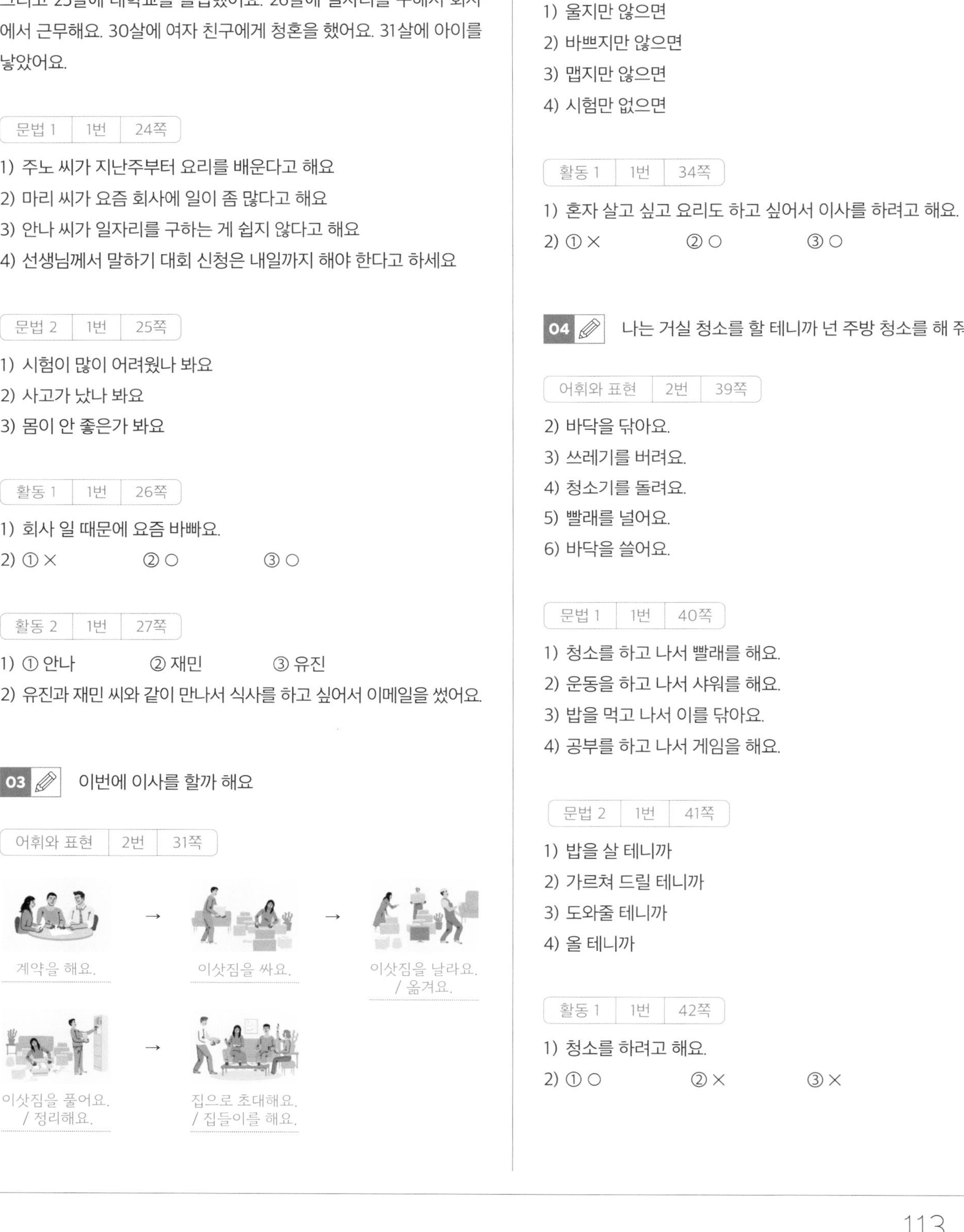

문법 1	1번	32쪽

[예시]
1) 학교 근처에 있는 치킨 집에서 할까 해요
2) 친구와 같이 점심을 먹을까 해요
3) 아니요. 졸업하면 좀 쉴까 해요
4) 한국어 공부를 할까 해요

문법 2	1번	33쪽

1) 울지만 않으면
2) 바쁘지만 않으면
3) 맵지만 않으면
4) 시험만 없으면

활동 1	1번	34쪽

1) 혼자 살고 싶고 요리도 하고 싶어서 이사를 하려고 해요.
2) ① × ② ○ ③ ○

04 나는 거실 청소를 할 테니까 넌 주방 청소를 해 줘

어휘와 표현	2번	39쪽

2) 바닥을 닦아요.
3) 쓰레기를 버려요.
4) 청소기를 돌려요.
5) 빨래를 널어요.
6) 바닥을 쓸어요.

문법 1	1번	40쪽

1) 청소를 하고 나서 빨래를 해요.
2) 운동을 하고 나서 샤워를 해요.
3) 밥을 먹고 나서 이를 닦아요.
4) 공부를 하고 나서 게임을 해요.

문법 2	1번	41쪽

1) 밥을 살 테니까
2) 가르쳐 드릴 테니까
3) 도와줄 테니까
4) 올 테니까

활동 1	1번	42쪽

1) 청소를 하려고 해요.
2) ① ○ ② × ③ ×

활동 2 | 1번 | 43쪽

1) 남성이 좋아하는 집안일 1위는 장보기예요. 이어서 설거지, 집 청소, 빨래, 식사 준비 순으로 좋아해요. 반면에 여성이 좋아하는 집안일 1위는 집 청소예요. 이어서 빨래, 식사 준비, 설거지, 장보기 순으로 좋아해요.

05 환불하려면 영수증이 필요합니다

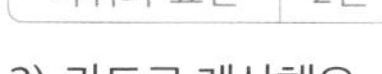

2) 카드로 계산해요.
3) 끈이 떨어졌어요.
4) 옷에 얼룩이 있어요.
5) 가격이 저렴해요.

문법 1 | 1번 | 48쪽

1) 만들어 보니까
2) 만나 보니까
3) 보니까
4) 혼자 살아 보니까

문법 2 | 1번 | 49쪽

1) 교환하려면
2) 수업을 신청하려면
3) 세종도서관에 가려면
4) 한국 음식을 먹으려면

1) 어제 산 티셔츠를 교환하려고
2) 사이즈가 커서 교환하려고 했지만 사이즈가 맞는 것이 없어서 환불하려고 해요.
3) ②

활동 2 | 1번 | 51쪽

1) ① ○　② ×　③ △　④ ○　⑤ ×

06 새로 사려다가 수리해서 쓰고 있어요

2) 소리가 안 나와요. / 액정이 깨졌어. / 화면이 안 나와요. / 전원이 안 켜져요.
3) 바람이 안 나와요. / 이상한 소리가 나요. / 전원이 안 켜져요.
4) 이상한 소리가 나요.

문법 1 | 1번 | 56쪽

1) 지난주에 고쳤잖아요
2) 성격이 좋잖아요
3) 마리 씨 생일이잖아요
4) 선배는 신입생이 아니잖아요

1) 수리하려다가
2) 말하려다가
3) 바꾸러 가려다가
4) 사진을 찍으려다가

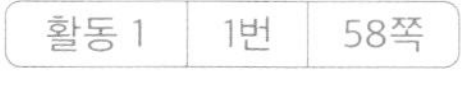

1) ②
2) 화면이 안 나오고 소리가 안 나올 때도 있어요.
3) ②

활동 2 | 1번 | 59쪽

1) ① ×　② ○　③ ×　④ ○　⑤ ○

07 여자 친구하고 만난 지 곧 3년이 돼

2) ③, 어린이날에 놀이공원에 가요.
3) ④, 어버이날에 같이 외식을 해요.
4) ①, 스승의 날에 꽃을 달아 드려요.

문법 1 | 1번 | 64쪽

1) 공부한 지
2) 한국에서 산 지
3) 읽은 지
4) 만난 지

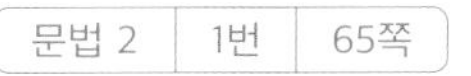

1) 쇼핑하자고 했어요
2) 점심을 먹자고 했는데 / 밥을 먹자고 했는데
3) 요리하자고 했어요
4) 자전거를 타자고 했는데

활동 1 | 1번 | 66쪽

1) 유진 씨가 여자 친구와 만난 지 3년이 되는 기념일
2) ① ○　② ×　③ ×

활동 2 | 1번 | 67쪽

1) 농업, 축산업, 수산업을 통해 얻은 음식을 먹어요.
2) 오이데이: 5월 2일, 가래떡 데이: 11월 11일

08 한글날을 기념하기 위해서 여러 가지 행사를 한다고 해

2) 말하기 대회에 나갔어요.
3) 말하기 대회에서 1등을 했어요.
4) 말하기 대회에서 상금을 받았어요.

문법 1 | 1번 | 72쪽

1) 생일을 축하하기 위해서
2) 환경을 보호하기 위해서
3) 건강을 유지하기 위해서

2) 여행을 가야겠어요
3) 오늘은 자야겠어요 / 쉬어야겠어요
4) 병원에 가야겠어요
5) 정리를 해야겠어요

1) 한글날 기념 행사: 한글 편지 쓰기 대회, 한국 음식 만들기
2) 한글 편지 쓰기 대회

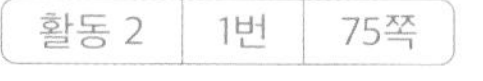

1) 세종학당 한글날 행사
2) 한글 편지 쓰기, 한글을 이용해 디자인한 물건 구경하기, 한국 음식 먹기

09 비가 오면 오히려 기분이 좋아지는데요

2) 한여름 / 무더위 / 푹푹 쪄요. / 짜증 나요.
3) 선선해요. / 우울해요. / 기분이 가라앉아요.

1) 손이 깨끗해졌어요
2) 좋아졌어요
3) 많아졌어요
4) 좋아졌어요 / 맑아졌어요

문법 2 | 1번 | 81쪽

1) 노래를 못하는 대신에
2) 구두를 신는 대신에
3) 술을 마시는 대신에
4) 밥을 먹는 대신에

1) 날씨와 기분을 이야기해요.
2) ① ○ ② ○ ③ ×

1) 남자는 게임을 많이 하고, 여자는 친구를 만나요.

10 오늘은 일찍 들어가도록 하세요

2) 눈이 충혈되었어요.
3) 충치가 생겼어요.
4) 기침을 해요. / 재채기를 해요.

1) 낮에 가벼운 운동을 해 보도록 하세요
2) 소화제를 먹어 보도록 해 봐
3) 한국 친구를 사귀어 보도록 하세요
4) 먼저 사과를 하도록 하세요

2) 택시를 타야
3) 여권이 있어야 / 여권을 만들어야
4) 영수증이 있어야 / 영수증을 가져와야
5) 아침을 먹어야

1) 직장 상사와 직원이에요.
2) 재민 씨의 몸이 안 좋아 보여 일찍 퇴근하라고 했어요.

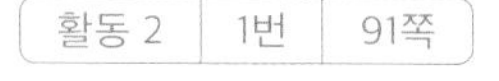

1) 채소와 과일을 골고루 먹어요. / 아침에 일어나 스트레칭하기 / 물을 하루에 8잔 이상 마셔요. / 하루 30분 운동해요. / 아침밥을 챙겨 먹어요. / 잘 자요.

11 주말에는 집에서 쉬는 게 좋더라고요

어휘와 표현 | 2번 | 95쪽

2) 기타를 치면 생활에 활기가 생겨요.
3) 달리기를 하면 기분 전환이 돼요.
4) 그림을 그리면 쓸데없는 생각이 사라져요.

문법 1 | 1번 | 96쪽

1) 배우다 보면
2) 듣다 보면
3) 읽다 보면
4) 다니다 보면

문법 2 | 1번 | 97쪽

1) 재미있더라고요
2) 빠르더라고요
3) 맛있더라고요
4) 어렵더라고요

활동 1 | 1번 | 98쪽

1) 생활에 활기가 생겨서 좋다고 이야기했어요.
2) ① ○　　② ×　　③ ×

활동 2 | 1번 | 99쪽

1) 요가 수업
2) 신청서 / 수업료 3만 원

12 이 영화를 꼭 보라고 추천하고 싶다

2) 조마조마해요. / 손에 땀을 쥐어요.
3) 가슴이 찡해요.
4) 지루해요.

1) 여자는 노래를 듣는다
2) 남자는 텔레비전을 본다
3) 케이크가 맛있다
4) 이 방에는 책이 많다
5) 소파는 빨간색이다

문법 1 | 2번 | 104쪽

나는 클래식 음악을 좋아한다. 클래식 음악을 들으면 마음이 편안해진다. 그래서 시간이 날 때면 클래식 공연장에 자주 간다. 클래식 공연은 텔레비전으로 보는 것보다 공연장에서 직접 보면 훨씬 더 감동적이다. 이런 즐거움을 친구들과 함께 느낄 수 있으면 좋겠다.

문법 2 | 1번 | 105쪽

1) 물을 많이 마시라고 했어요
2) 창문을 닫으라고 했어요
3) 물을 달라고 했어요
4) 책을 빌려 달라고 했어요

활동 1 | 1번 | 106쪽

1) 도시에 사는 손자와 시골에 사는 할아버지가 같이 시골에서 살면서 서로 이해하려고 노력하는 내용이에요.
2) ① ×　　② ○　　③ ×

활동 2 | 1번 | 107쪽

1) 슬프다 / 웃기다 / 긴장되다 / 감동적이다 / 박진감 넘치다
2) ① ○　　② ×　　③ ×

어휘와
표현
색인
3A

자료 출처

3A

※ 강승희, 곽명주, 박가을, 이재영, 정원교 작가와 함께 작업했습니다.

| 게티이미지코리아 |

1과 16쪽_2번 (보기)/1) 3과 30쪽_중 (좌로부터)①; 33쪽_2번 좌 5과 48쪽_2번 우 6과 54쪽_상 9과 78쪽_(좌, 위로부터) ①

| 셔터스톡 |

스피커 아이콘
말풍선
연필 아이콘
1과 14쪽 (상, 좌로부터)①/②; 15쪽; 16쪽_2번 2)/3)/4); 18쪽_2번; 20쪽 2과 22쪽; 23쪽_2번 (좌로부터)②/④/⑤; 24쪽_상, 1번 (보기)/4), 2번; 25쪽; 26쪽; 27쪽; 28쪽 3과 30쪽_상, (중, 좌로부터)②/③, 하; 31쪽_3번; 32쪽; 33쪽_2번 우; 34쪽; 35쪽; 36쪽 4과 38쪽; 39쪽_2번; 40쪽_1번, 2번; 41쪽_상우; 43쪽_1번; 44쪽_상, 하 (좌로부터)②/③ 5과 46쪽; 47쪽_2번; 48쪽_2번 좌; 50쪽; 51쪽_1번; 52쪽 6과 54쪽_(하, 좌로부터)①/②; 55쪽_3번; 57쪽_2번; 58쪽; 60쪽 7과 62쪽; 63쪽_2번; 64쪽; 65쪽_1번 (보기); 66쪽; 67쪽; 68쪽 8과 70쪽_(상, 좌로부터)①; 71쪽; 72쪽; 73쪽; 75쪽; 76쪽 9과 78쪽_(좌, 위로부터) ②/③, (우, 위로부터)①/②; 79쪽; 80쪽_상, 1번 (보기)/1)/3)/4), 2번 (상, 좌로부터)③/④; 81쪽_2번; 82쪽; 84쪽 10과 86쪽; 87쪽; 89쪽_1번 (보기)/1)/2)/4); 91쪽; 92쪽 11과 94쪽; 95쪽_2번 (보기)/1)/3), 3번; 96쪽_2번; 97쪽_1번 (보기)/2), 2번; 99쪽; 100쪽 12과 103쪽; 104쪽; 105쪽; 108쪽; 109쪽

| 기타 |

8과 70쪽_ 세종학당 한글날 문화마당 포스터 (세종학당재단 제공)
12과 102쪽_〈극한직업〉 포스터 (CJENM 제공),
〈봉오동 전투〉 포스터 (쇼박스 제공),
〈기생충〉 포스터 (CJENM 제공),
〈엑시트〉 포스터 (CJENM 제공);
107쪽_〈괴물〉 포스터 (영화사 청어람 제공)

세종한국어 3A

기획 국립국어원 박미영 학예연구사
국립국어원 조 은 학예연구사

집필 책임 집필 이정희 경희대학교 국제교육원 교수
공동 집필 박진욱 대구가톨릭대학교 한국어문학과 조교수
손혜진 고려대학교 국제한국언어문화연구소 연구교수
김윤경 부산외국어대학교 한국어문화교육원 교사
이정윤 계명대학교 국제사업센터 한국어학당 강사
윤세윤 경희대학교 국제교육원 객원교수
집필 보조 고정대 대구가톨릭대학교 국어국문학과 박사과정
심지연 고려대학교 교양교육원 초빙교수
정성호 경희대학교 국어국문학과 박사수료
서유리 경희대학교 국어국문학과 박사과정

발행 국립국어원
주소: (07511) 서울특별시 강서구 금낭화로 154
전화: +82(0)2-2669-9775
전송: +82(0)2-2669-9727
누리집: www.korean.go.kr

초판 1쇄 발행 2022년 9월 1일
초판 5쇄 발행 2025년 2월 21일

편집 • 제작 공앤박 주식회사
주소: (05116) 서울특별시 광진구 광나루로56길 85, 프라임센터 3411호
전화: +82(0)2-565-1531
전송: +82(0)2-6499-1801
누리집: www.kongnpark.com / www.BooksOnKorea.com (구매)

총괄 공경용
편집 이유진, 김세훈, 이진덕, 여인영, 김령희, 성수정, 최은정, 함소연
영문 편집 Sung A. Jung, Paulina Zolta, Kassandra Lefrancois-Brossard
디자인 오진경, 서은아, 이종우, 이승희
삽화 강승희, 곽명주, 박가을, 이재영, 정원교
관리·제작 공일석, 최진호
IT 자료 손대철
마케팅 윤성호

ISBN 978-89-97134-26-7 (14710)
ISBN 978-89-97134-21-2 (세트)

뒤 그림 | 대한민국 전도

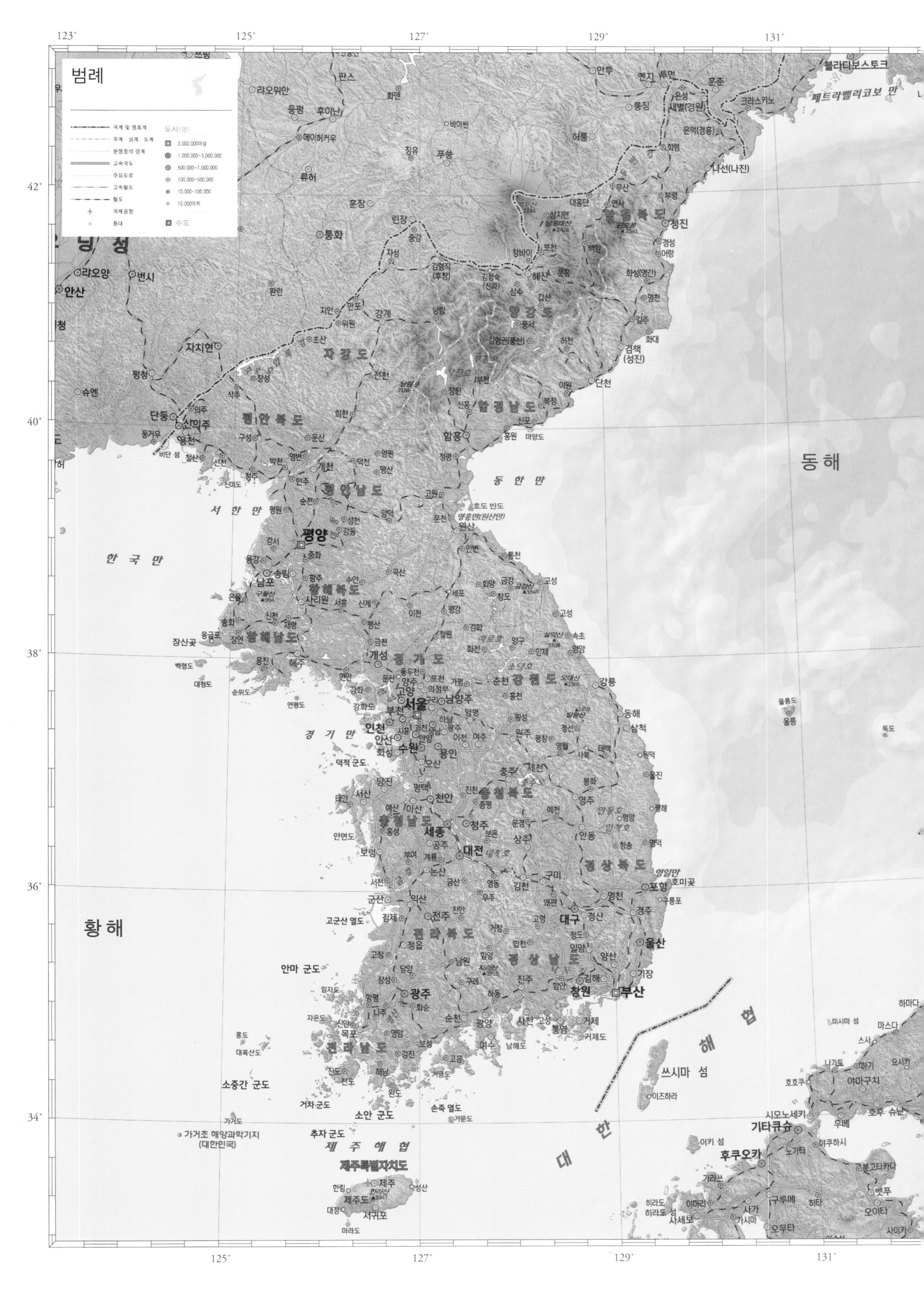
범례
국계 및 영토계
주계 · 성계 · 도계
분쟁중의 경계
고속국도
주요도로
고속철도
철도
국제공항
등대
도시(명)
3,000,000이상
1,000,000~3,000,000
500,000~1,000,000
100,000~500,000
10,000~100,000
10,000이하
수도
동해
황해
서 한 만
한 국 만
동 한 만
경 기 만
대 한 해 협
제 주 해 협
쓰시마 섬
평안북도
평안남도
자강도
양강도
함경남도
함경북도
황해북도
황해남도
경기도
강원도
충청북도
충청남도
전라북도
전라남도
경상북도
경상남도
제주특별자치도
평양
서울
인천
수원
세종
대전
청주
대구
울산
부산
광주
창원
전주
개성
함흥
청진
원산
나선(나진)
신의주
단둥
울릉도
독도
백령도
가거초 해양과학기지
(대한민국)
블라디보스토크
페트라벨리코보 만
기타큐슈
후쿠오카
시모노세키
123°
125°
127°
129°
131°
34°
36°
38°
40°
42°